Petits *C*lassiques

LAROUSSE

Collection fondée par Félix Guirand,
Agrégé des Lettres

Les Précieuses ridicules

Molière

Farce

Édition présentée,
annotée et commentée
par Évelyne AMON,
certifiée de lettres modernes

SOMMAIRE

Avant d'aborder l'œuvre

Les Précieuses ridicules

Molière

78 Avez-vous bien lu ?

Pour approfondir

AVANT D'ABORDER
L'ŒUVRE

Fiche d'identité de l'auteur

Molière

Nom : Molière (pseudonyme de Jean-Baptiste Poquelin).

Naissance : le 15 janvier 1622.

Famille : petite bourgeoisie. Père tapissier (décorateur) des appartements du roi.

Enfance : bonnes études secondaires chez les Jésuites. Étudie les auteurs comiques latins. Perd sa mère à 10 ans.

Formation : études de droit, mais vocation artistique.

Début de carrière et de vie adulte : liaison avec la comédienne Madeleine Béjart. Fondation de l'Illustre-Théâtre (1643). En 1945, faillite. Départ en province : tournées pendant treize ans.

Premiers succès : deux farces, *L'Étourdi* (Lyon, 1655) et *Le Dépit amoureux* (Béziers, 1656).

Gloire et difficultés : Paris (1658). Triomphe des *Précieuses ridicules* (1659, Théâtre du Petit-Bourbon). Molière au théâtre du Palais-Royal. *Les Fâcheux*, première comédie-ballet (1661). Enthousiasme du roi. Mariage avec Armande Béjart ; vie privée agitée. Molière cible des troupes concurrentes et des religieux. En 1662, *L'École des femmes*. En 1663, *La Critique de l'École des femmes*, *L'Impromptu de Versailles*.

Le protégé du Roi-Soleil : en 1664, Molière est au zénith de sa carrière. Sa troupe est nommée « Troupe du roi ». Création du *Tartuffe* et de *Dom Juan*. Scandales et interdictions. Période créative mais troubles de santé. En 1666, *Le Misanthrope* et *Le Médecin malgré lui* ; en 1668, *George Dandin* et *L'Avare* (accueil mitigé). En 1669, triomphe du *Tartuffe* (3ᵉ version). *Le Bourgeois gentilhomme* (1670), *Les Fourberies de Scapin* (1671).

Une carrière en déclin : mort de Madeleine Béjart en 1672 ; *Les Femmes savantes*, boudées. Brouille avec son ami et collaborateur Lully, devenu le préféré du roi.

Mort : sur scène, en pleine représentation du *Malade imaginaire* (17 février 1673). Pas d'hommage officiel.

Pour ou contre

Molière ?

Pour

Hippolyte TAINE :
« Nous goûtons chez lui [Molière] notre plaisir national. »
Histoire de la littérature anglaise, III, Hachette, 1878.

Charles-Augustin SAINTE-BEUVE :
« Aimer et chérir Molière [...] c'est aimer la santé et le droit sens de l'esprit chez les autres comme pour soi. »
Les Grands Écrivains français, Garnier, 1928.

Paul CLAUDEL :
« Tout vit, tout est muscle, tout est feu, élégance, vivacité, gaieté saine, vertu ! On aimerait écrire comme ça. »
Théâtre II, Mercure de France, 1943.

Contre

VAUVENARGUES :
« On y trouve tant de négligences et d'expressions bizarres et impropres, qu'il y a peu de poètes moins corrects et moins purs que lui. »
Réflexions critiques sur quelques poètes, 1747.

René BRAY :
« Il n'hésite pas à se répéter purement et simplement. »
Molière homme de théâtre, Mercure de France, 1954.

Charles DANTZIG :
« Molière, c'est Spielberg : un grand talent mis au service du succès public qu'il obtient au détriment du génie. »
Dictionnaire égoïste de la littérature française, Grasset, 2005.

Repères chronologiques

Vie et œuvre de Molière	Événements politiques et culturels
1622 Naissance à Paris de Jean-Baptiste Poquelin.	**1631** Naissance du journalisme : Renaudot fonde sa *Gazette*.
1632 Mort de sa mère.	**1635** Fondation de l'Académie française.
1639 Fin de ses études secondaires.	**1637** Corneille, *Le Cid*.
1642 Licence de droit.	**1638** Naissance de Louis XIV.
1643 Rencontre avec l'actrice Madeleine Béjart. Création de l'Illustre-Théâtre.	**1639** Naissance de Racine.
1644 Jean-Baptiste Poquelin devient Molière.	**1642** Mort de Richelieu, remplacé par Mazarin.
1645 Molière emprisonné pour dettes.	**1643** Mort de Louis XIII. Régence d'Anne d'Autriche.
1646 **L'Illustre-Théâtre en province. Pendant treize ans, tournées et vie de bohème.**	**1645** Naissance de La Bruyère.
1653 L'Illustre-Théâtre sous la protection du duc de Conti.	**1649-1652** Fronde des princes.
1655 *L'Étourdi.*	**1649-1653** Madeleine de Scudéry, *Artamène ou Le Grand Cyrus*.
1656 *Le Dépit amoureux.*	**1653** Fouquet, surintendant des Finances. Le jansénisme condamné.
1658 **La troupe de Molière à Paris.**	**1654-1660** Madeleine de Scudéry, *Clélie*.
1659 **Triomphe des *Précieuses ridicules*.**	**1656** Pascal, *Les Provinciales*.
1661 Molière au théâtre du Palais-Royal.	**1660** Mariage de Louis XIV.

Repères chronologiques

Vie et œuvre de Molière	Événements politiques et culturels

1662
Mariage avec Armande Béjart.
Succès de *L'École des femmes*.

1663
Querelle de *L'École des femmes*, *La Critique de « L'École des femmes »*, *L'Impromptu de Versailles*.

1664
Le Tartuffe et *Dom Juan* interdites.
Protection du Roi-Soleil.

1665
La troupe de Molière nommée « Troupe du roi ». Molière malade.

1666
Le Misanthrope, *Le Médecin malgré lui*.

1667
Le Tartuffe (2ᵉ version), interdit.

1668
Amphitryon, *George Dandin*, *L'Avare*.

1669
Triomphe de *Tartuffe* (3ᵉ version).
Monsieur de Pourceaugnac.

1670
Le Bourgeois gentilhomme.

1671
Les Fourberies de Scapin, *La Comtesse d'Escarbagnac*, *Psyché* en collaboration avec Corneille.

1672
Les Femmes savantes. Mort de Madeleine Béjart. Brouille avec Lully. **Défaveur du roi.**

1673
Le Malade imaginaire.
Malaise en scène et décès de Molière (17 février).

1661
Mort de Mazarin
Début du règne de Louis XIV.

1662
Colbert ministre. Mort de Pascal.

1663
Pensions accordées aux artistes et aux écrivains.

1664
Condamnation de Fouquet.

1665
La Rochefoucauld, *Maximes*.

1666
Boileau, *Satires* (I à VI).
Mort d'Anne d'Autriche.
Fondation de l'Académie des sciences.

1667
Racine, *Andromaque*.
Conquête de la Flandre, désormais rattachée à la France.

1668
La Fontaine, *Fables*.
Annexion de la Flandre.

1669
Racine, *Britannicus*.

1670
Racine, *Bérénice*.
Pascal, les *Pensées*.

1671
Début de la *Correspondance* de madame de Sévigné.

1672-1673
Louis XIV à Versailles.
Conquête de la Hollande.

Fiche d'identité de l'œuvre

Les Précieuses ridicules

Auteur :
Molière. En 1659, il a
37 ans.

Genre :
comédie.

Forme :
dialogue en prose.

Structure :
pièce courte en 1 acte
et 17 scènes.

Principaux personnages : Cathos et Magdelon,
deux jeunes précieuses provinciales qui se rebaptisent
Polyxène et Aminte, coquettes vaniteuses, respectivement
nièce et fille de Gorgibus ; Gorgibus, bourgeois
récemment arrivé à Paris, autoritaire et familier ;
La Grange et Du Croisy, gentilshommes parisiens,
prétendants des deux précieuses ; Mascarille, valet
de La Grange, désinvolte, ingénieux et beau parleur ;
Jodelet, valet de Du Croisy, faire-valoir de Mascarille.

Sujet : L'action, qui occupe une journée, se déroule
dans la maison de Gorgibus. Récemment arrivées dans
la capitale, Cathos et Magdelon ont été demandées
en mariage par La Grange et de Du Croisy. Mais
les deux précieuses rejettent cette proposition avec
dédain, estimant que les deux gentilshommes n'ont
aucune des qualités requises pour un mari digne
de ce nom. Mécontent, Gorgibus reproche aux jeunes
filles leur refus. Quant aux deux jeunes gens éconduits,
ils décident de se venger par l'intermédiaire
de leur valet respectif. Mascarille se présente alors
aux deux précieuses comme un marquis, et Jodelet,
comme un vicomte. Dupes des deux compères, charmées,
Cathos et Magdelon se prêtent au jeu avec naïveté,
quand La Grange et Du Croisy viennent rudement rétablir
la vérité et ôter les masques de leurs valets. Cathos
et Magdelon « crèvent de dépit ».

Principaux thèmes : la préciosité, le langage,
la galanterie, Paris et la province, les femmes,
le mariage, le masque et la mystification.

Pour ou contre

Les Précieuses ridicules ?

Pour

Georges COUTON :

« Elle [la pièce] tient sa verve et sa saveur d'être très vigoureusement actuelle. »

Notice aux *Précieuses ridicules*, Gallimard, 1971.

Ramon FERNANDEZ :

« *Les Précieuses* ont trouvé d'un coup le style comique que Molière, par la suite, ne devait plus que nuancer et enrichir. »

Molière ou l'essence du génie comique, Grasset, 1979.

Contre

Charles DANTZIG :

« On n'a pas vu d'écrivain plus conservateur. Que le bourgeois ne cherche pas à devenir gentilhomme, que la jeune fille de province ne cherche pas à faire la Parisienne ! [Et] il joue de cette angoisse si française, la peur du ridicule. »

Dictionnaire égoïste de la littérature française, Grasset, 2005.

René BRAY :

« La satire n'apportait rien de nouveau ; Molière se contentait de railler ce que bien des honnêtes gens raillaient déjà. »

Molière homme de théâtre, Mercure de France, 1954.

Pour mieux lire l'œuvre

✤ Au temps de Molière

Un nouveau venu nommé Molière

Quand il arrive à Paris au printemps 1658, Molière est encore un inconnu. Avec sa troupe ambulante, il a parcouru la province pendant treize ans et remporté de beaux succès. Dans son répertoire, on note deux grandes comédies en cinq actes, rédigées en vers (*L'Étourdi*, joué à Lyon vers 1655, et *Le Dépit amoureux*, créé à Béziers en 1656), mais aussi des farces en un acte comme *La Jalousie du Barbouillé* et *Le Médecin volant*, « petits divertissements » traditionnellement donnés en complément d'une grande comédie ou d'une tragédie.

Molière est alors un artiste accompli : auteur, directeur de troupe, metteur en scène et acteur. De province en province, il a testé sa conception de la comédie auprès de tous les publics et mis au point son art du rire. Âgé de 34 ans, il se sent prêt à affronter la capitale.

Le théâtre : le poids des traditions

Depuis des années, deux troupes solidement installées dans leurs privilèges règnent sans partage à Paris : les « Comédiens Français ordinaires du roi » se produisent à l'Hôtel de Bourgogne ; la troupe du Marais joue au théâtre du Marais. Le public, dont le goût a été formé par Corneille et Racine, affiche sa préférence pour la tragédie, genre noble par définition. Les pièces de ces deux auteurs incontournables sont toujours très littéraires et d'une forme impeccable : sujets empruntés à l'Antiquité ou à l'histoire, cinq actes en vers, respect de la règle des trois unités (de lieu, de temps et d'action), principes incontournables. On parlera plus tard de « tragédie classique ». Est-ce à dire que le rire est absent de la scène parisienne ? Non ! Car vers le milieu du siècle, la comédie a retrouvé la faveur du public : de tradition italienne (Rotrou) ou espagnole (Scarron), pathétique ou burlesque, elle favorise les intrigues romanesques. Mais elle attend toujours son champion. Quant à la farce, « plaisir honteux » pour les hommes cultivés de cette époque (Tallemant des Réaux), elle se taille de beaux succès grâce aux Comédiens-italiens qui jouent dans leur langue à grand renfort de mimiques, de cabrioles et de bouffonneries. La *commedia dell'arte*, avec ses dialogues improvisés, ses pitreries, sa famille de personnages stéréotypés (Arlequin le valet gai luron, Pantalon le vieux coureur de jupons...), ses masques et ses costumes stylisés, a son public de fidèles, même à la cour.

Paris : les précieuses font la loi !

La société parisienne a pourtant d'autres divertissements que le théâtre. Au milieu du XVIIe siècle, la mode est aux « salons » mondains où se retrouve une élite cultivée. Glissons-nous chez la marquise de Rambouillet : « On n'y parle point savamment, mais on y parle raisonnablement, et il n'y a lieu au monde où il y ait plus de bon sens et moins de pédanterie » (Chapelain à Balzac, 22 mars 1638). La galanterie s'y pratique comme un style de vie qui allie au bon goût la distinction, l'intelligence et le raffinement dans l'expression. Elle fait même l'objet, en 1658, d'un traité, *Les lois de la galanterie*, texte anonyme attribué à Charles Sorel : la préciosité est née ! Elle s'impose et les « précieuses » font désormais la loi.

Mais bien vite, celles-ci pervertissent les valeurs qu'elles prétendent défendre et tombent dans l'excès : avec elles, le beau langage se transforme en jargon incompréhensible, l'intelligence devient pédanterie intellectuelle, l'indépendance se métamorphose en sexisme. Elles contestent le mariage, confondent délicatesse et simagrées grotesques. Elles se veulent « d'une race relevée en noblesse et en honneur », et l'« esprit excellent » *(Les lois de la galanterie)*. Or, elles ne sont que ridicules...

C'est essentiellement chez mademoiselle de Scudéry, célèbre romancière, auteur d'*Artamène ou Le Grand Cyrus* (1649-1653) et de *Clélie* (1654-1660), qu'on les rencontre désormais. En effet, depuis 1651, celle que l'on surnomme « Sapho » est devenue une des grandes figures féminines de Paris : c'est elle qui dicte les règles d'un savoir-

Pour mieux lire l'œuvre

vivre nouveau ; c'est dans son salon que se retrouvent les bourgeois en mal de distinction. On n'y parle que d'amour : à partir de la célèbre Carte du Tendre dont l'hôtesse est l'auteur, on établit des itinéraires amoureux, on classe les sentiments, les émotions et les attitudes (douze sortes de soupirs !), on compose des textes à énigmes et des poèmes délicats ; on fixe des protocoles d'expression affectés ; tout cela en réaction à la rudesse des hommes et aux mauvaises manières des seigneurs « nés dans le bruit des armes » (Bussy-Rabutin).

18 novembre 1659 : un grand jour

C'est dans cet environnement socioculturel qu'arrive Molière, fort d'un génie original qui ne demande qu'à s'exprimer. Déjà, il a posé les jalons de sa future gloire. Monsieur, frère du roi Louis XIV, vient de lui accorder deux faveurs exceptionnelles : la salle du Petit-Bourbon (à partager avec la troupe des Italiens), et le titre prestigieux de « Troupe de Monsieur » !

Mais c'est le 18 novembre 1659 que tout va se jouer. Ce jour-là pourtant, c'est Corneille qui est en tête d'affiche avec une tragédie bien connue : *Cinna* (1643). Molière – vedette américaine, dirait-on aujourd'hui – doit représenter, en complément de la pièce de son confrère, *Les Précieuses ridicules*, une petite farce satirique qu'il vient de composer sur un sujet d'actualité, la préciosité.

Avant lui, deux auteurs ont été tentés par ce thème : Chappuzeau, l'auteur du *Cercle des femmes*, qui raconte la vengeance d'un pédant éconduit par une « jeune veuve d'un savant esprit », et surtout l'abbé de Pure, qui a écrit une pièce (*La Prétieuse*, 1656) et un roman à succès (*La Prétieuse ou le Mystère des ruelles*, 1656-1658).

Le jour de la représentation, Molière s'est réservé le rôle masculin principal, celui du valet Mascarille, tandis que le grand comédien Jodelet (plus de 70 ans), célèbre pour son visage enfariné de farceur, tient le rôle du valet... Jodelet ! Et le miracle opère : d'après les témoins Vinot et La Grange, « Le peuple y vint en [...] affluence » et les applaudissements furent « extraordinaires ».

La rançon du succès

Dès cet instant, Molière devient – et restera tout au long de sa carrière – la cible des troupes concurrentes jalouses de son succès : cabales, manœuvres, calomnies, tout sera bon pour empêcher le nouveau venu de travailler en paix.

Soucieux d'éviter les piratages, Molière est obligé de publier sa pièce dans l'urgence. Sur le front de l'édition, une fois lancée la mode de rire des précieuses, c'est la ruée des auteurs en mal d'inspiration. Dès 1659, Marie-Catherine Desjardins, dite madame de Villedieu, compose *Le Récit en prose et en vers de la farce des Précieuses*, une version narrative de la pièce. En 1660, Somaize publie *Les Précieuses ridicules en vers*, suivi d'un *Grand Dictionnaire des Précieuses*, d'un *Procès des Précieuses en vers burlesques*, et d'un *Grand Dictionnaire historique des Précieuses*. La même année, le texte original des *Précieuses ridicules* fait l'objet de plusieurs contrefaçons en Hollande. Mais il est trop tard pour les envieux. En un seul jour, Molière s'est imposé en virtuose du rire. Il a changé la donne du théâtre français et créé l'événement. Pendant quinze ans d'une carrière éblouissante (1658-1673), faite de luttes, de scandales et de succès retentissants, il va dominer la scène française sous la protection du Roi-Soleil, le premier et le plus puissant de ses admirateurs.

✑ *L'essentiel*

Alors que trois troupes dominent la scène parisienne (les Comédiens du roi et la troupe du Marais, avec la tragédie, les Comédiens-italiens, avec la *commedia dell'arte*), Molière, le 18 novembre 1659, crée l'événement avec *Les Précieuses ridicules*. Cette farce satirique en un acte traite d'un sujet d'actualité : la préciosité. Du jour au lendemain, Molière s'assure la protection du roi de France, mais il inspire à ses concurrents une rancœur définitive.

Pour mieux lire l'œuvre

✥ L'œuvre aujourd'hui

Les raisons d'un succès

Trois raisons majeures expliquent le succès phénoménal et durable des *Précieuses ridicules*.

D'abord, Molière ouvre une nouvelle page de l'histoire de la comédie : non seulement il recrée la farce française, genre hérité du Moyen Âge, mais il s'annonce comme le grand maître du rire.

Ensuite, il propose un vrai documentaire sur la société de son temps : il met sous les yeux des aristocrates contemporains un miroir grossissant, qui leur renvoie une image saisissante de la préciosité et de ses excès. Comme il l'explicitera plus tard dans la *Critique de l'École des femmes* (1663), il estime qu'il faut « peindre d'après nature » (scène 7). Cette prise de position qui nous paraît aujourd'hui aller de soi est alors révolutionnaire !

Enfin, Molière met la satire à la mode. Associant la réflexion au rire, il s'inscrit dans un courant qu'il a peut-être contribué à créer et ajoute sa voix à celle des grands moralistes qui, tout au long du XVIIe siècle, raillent les mœurs contemporaines pour mieux les corriger (La Fontaine, La Bruyère, La Rochefoucauld). Toutefois, Molière reste prudent : il affirme que sa pièce « se tient partout dans les bornes de la satire honnête et permise » (Préface des *Précieuses*). Sa position officielle d'ailleurs n'évoluera pas : « Son dessein est de peindre les mœurs sans vouloir toucher aux personnes » (*L'Impromptu de Versailles*, scène 4). Devons-nous prendre à la lettre ces déclarations ? C'est selon... En tous cas, les célèbres précieuses de l'époque choisirent de rire plutôt que de s'offusquer, refusant prudemment de se reconnaître dans le portrait des deux pimbêches Cathos et Magdelon, et prenant le parti de s'amuser...

Les Précieuses ridicules à l'heure du IIIe millénaire

Peut-on rire encore des *Précieuses ridicules* ? Oui si l'on en croit les innombrables mises en scène dont la pièce fait l'objet chaque année depuis sa création, en France et à l'étranger. Représentée sur scène et au cinéma (voir p. 122-123), cette petite farce, qui contient virtuellement tout l'art de Molière, est devenue un classique du rire. Mais la jeunesse du XXIe siècle, celle de l'ordinateur et de la mondialisation, peut-elle encore s'intéresser aux précieuses ? La réponse est oui. Parce que, dans *Les Précieuses ridicules*, Molière peint des attitudes universelles et développe des thèmes éternels : ce besoin qu'ont les êtres d'affirmer jusqu'au ridicule leur supposée supériorité sur les autres, ce désir fondamental des individus de se distinguer par le langage et par le vêtement, cette volonté des femmes à affirmer leur indépendance, enfin ce culte de l'apparence caractéristique de nos sociétés développées.

L'essentiel

Avec *Les Précieuses ridicules*, Molière s'annonce comme le grand maître du rire. Il présente un document d'actualité sur la société de son temps, ce qui est révolutionnaire à l'époque, et met la satire à la mode tout en se défendant de s'attaquer à des personnes précises. Cette petite pièce, qui développe des thèmes universels, n'a pas vieilli.

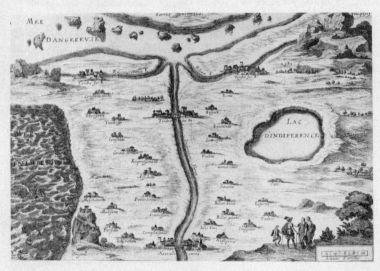

La Carte du Tendre dans *Clélie*, de Madeleine de Scudéry, 1654-1660.
Bibliothèque nationale de France, Paris.

Portrait de Madeleine de Scudéry, peinture anonyme du XVIIᵉ siècle.
Bibliothèque Madeleine Durand, Paris.

Portrait de Molière, gravure de Nicolas Habert.

Les Précieuses ridicules

Molière

Farce représentée pour la
première fois le 18 novembre 1659

Frontispice du tome I des œuvres de Molière : à gauche, Mascarille.
Gravure de François Chauveau, 1666,
Bibliothèque de l'Arsenal, Paris.

Préface

C'est une chose étrange[1] qu'on imprime les gens malgré eux[2]. Je ne vois rien de si injuste, et je pardonnerais toute autre violence plutôt que celle-là.

Ce n'est pas que je veuille faire ici l'auteur modeste, et mépriser, par honneur[3], ma comédie. J'offenserais mal à propos tout Paris, si je l'accusais d'avoir pu applaudir à une sottise. Comme le public est le juge absolu de ces sortes d'ouvrages, il y aurait de l'impertinence à moi de le démentir[4] ; et, quand j'aurais eu la plus mauvaise opinion du monde de mes *Précieuses ridicules* avant leur représentation, je dois croire maintenant qu'elles valent quelque chose, puisque tant de gens ensemble en ont dit du bien. Mais, comme une grande partie des grâces[5] qu'on y a trouvées dépendent de l'action[6] et du ton de voix[7], il m'importait qu'on ne les dépouillât pas de ces ornements[8] ; et je trouvais que le succès qu'elles avaient eu dans la représentation était assez beau pour en demeurer là. J'avais résolu, dis-je, de ne les faire voir qu'à la chandelle, pour ne point donner lieu à quelqu'un de dire le proverbe[9] ; et je ne voulais pas qu'elles

---

1. **Étrange :** scandaleuse.
2. **Malgré eux :** une publication « pirate » de la pièce avait été faite par un auteur rival.
3. **Par honneur :** par élégance (un auteur doit se montrer modeste).
4. **De le démentir :** à le contredire.
5. **Grâces :** qualités, agréments.
6. **L'action :** la représentation. Dans la rhétorique ancienne, l'actio désigne la prononciation et la gestuelle d'un orateur.
7. **Ton de voix :** inflexions de la voix des acteurs.
8. **Ornements :** tout ce qui donne vie au texte dans la représentation théâtrale. Molière explique ici qu'une pièce est faite avant tout pour être jouée, non pour être lue.
9. **De ne les faire voir qu'à la chandelle [...] proverbe :** de ne pas exhiber les grâces de la pièce au grand jour, ce qui mettrait en évidence ses défauts. Allusion au proverbe « Cette femme est belle à la chandelle, mais le jour gâte tout ».

Préface

sautassent du théâtre de Bourbon[1] dans la galerie du Palais[2]. Cependant je n'ai pu l'éviter, et je suis tombé dans la disgrâce de voir une copie dérobée[3] de ma pièce entre les mains des libraires, accompagnée d'un privilège[4] obtenu par surprise[5]. J'ai eu beau crier : « Ô temps ! ô mœurs ! » on m'a fait voir une nécessité pour moi d'être imprimé, ou d'avoir un procès ; et le dernier mal est encore pire que le premier. Il faut donc se laisser aller à la destinée, et consentir à une chose qu'on ne laisserait pas de faire sans moi[6].

Mon Dieu ! l'étrange embarras qu'un livre à mettre au jour[7], et qu'un auteur est neuf[8] la première fois qu'on l'imprime ! Encore si l'on m'avait donné du temps, j'aurais pu mieux songer à moi, et j'aurais pris toutes les précautions que messieurs les auteurs, à présent mes confrères, ont coutume de prendre en semblables occasions. Outre quelque grand seigneur que j'aurais été prendre malgré lui pour protecteur[9] de mon ouvrage, et dont j'aurais tenté la libéralité[10] par une épître dédicatoire bien fleurie[11], j'aurais tâché de faire une belle et docte[12] préface ; et je ne manque point de livres qui m'auraient fourni tout ce qu'on peut dire de savant sur la tragédie et la comédie, l'étymologie de toutes deux, leur origine, leur définition et le reste.

---

1. **Théâtre de Bourbon :** la troupe de Molière s'était installée dans ce théâtre en 1658.
2. **Galerie du Palais :** zone très commerciale où se trouvaient de nombreuses boutiques, notamment des libraires. En fait, Molière explique qu'il ne voulait pas publier sa pièce.
3. **Dérobée :** volée.
4. **Privilège :** permission officielle, accordée par le roi, de publier une œuvre.
5. **Obtenu par surprise :** le libraire Ribou avait manigancé pour obtenir l'autorisation de publier *Les Précieuses ridicules*.
6. **Qu'on ne laisserait pas de faire sans moi :** qu'on ferait, de toute façon.
7. **Mettre au jour :** publier.
8. **Neuf :** inexpérimenté.
9. **Protecteur :** à l'époque, les écrivains forçaient la main des puissants pour bénéficier de leur protection. Ils leur dédiaient une œuvre pour mieux les séduire. Molière se moque ici des auteurs courtisans.
10. **Tenté la libéralité :** stimulé la générosité.
11. **Épître dédicatoire bien fleurie :** la dédicace prenait souvent la forme d'une lettre-préface très flatteuse.
12. **Docte :** savante.

J'aurais parlé aussi à mes amis, qui, pour la recommandation de ma pièce, ne m'auraient pas refusé, ou des vers français, ou des vers latins. J'en ai même qui m'auraient loué en grec, et l'on n'ignore pas qu'une louange en grec est d'une merveilleuse efficace[1] à la tête d'un livre. Mais on me met au jour sans me donner le loisir de me reconnaître[2] ; et je ne puis même obtenir la liberté de dire deux mots pour justifier mes intentions sur le sujet de cette comédie. J'aurais voulu faire voir qu'elle se tient partout dans les bornes de la satire honnête[3] et permise ; que les plus excellentes choses sont sujettes à être copiées par de mauvais singes qui méritent d'être bernés[4] ; que ces vicieuses imitations de ce qu'il y a de plus parfait[5] ont été de tout temps la matière de la comédie ; et que, par la même raison les véritables savants et les vrais braves ne se sont point encore avisés de s'offenser du Docteur de la comédie, et du Capitan ; non plus que les juges, les princes et les rois, de voir Trivelin[6], ou quelque autre, sur le théâtre, faire ridiculement le juge, le prince ou le roi : aussi[7] les véritables précieuses auraient tort de se piquer[8], lorsqu'on joue les ridicules qui les imitent mal. Mais enfin, comme j'ai dit, on ne me laisse pas le temps de respirer, et M. de Luyne[9] veut m'aller relier[10] de ce pas : à la bonne heure, puisque Dieu l'a voulu.

---

1. **Efficace :** efficacité.
2. **Sans me donner le loisir de me reconnaître :** sans me laisser la possibilité de reprendre mes esprits.
3. **Dans les bornes de la satire honnête :** dans les limites d'une satire décente et conforme à la bienséance.
4. **Bernés :** moqués, tournés en dérision.
5. **Ces vicieuses imitations de ce qu'il y a de plus parfait :** les personnages fictifs des *Précieuses ridicules*.
6. **Docteur de la comédie [...] Capitan [...] Trivelin :** personnages traditionnels de la *commedia dell'arte*. Ils incarnent respectivement la sotte pédanterie, la bravade associée à la poltronnerie et la sottise peu scrupuleuse.
7. **Aussi :** de la même manière.
8. **Se piquer :** se vexer.
9. **M. De Luyne :** l'éditeur-libraire de Molière.
10. **M'aller relier :** publier le texte des *Précieuses*.

PERSONNAGES

LA GRANGE[1]	*amant rebuté[2].*
DU CROISY[3]	*amant rebuté.*
GORGIBUS[4]	*bon bourgeois.*
MAGDELON[5]	*fille de Gorgibus, Précieuse ridicule.*
CATHOS[6]	*nièce de Gorgibus, Précieuse ridicule.*
MAROTTE[7]	*servante des Précieuses ridicules.*
ALMANZOR[8]	*laquais des Précieuses ridicules.*
LE MARQUIS DE MASCARILLE[9]	*valet de La Grange.*
LE VICOMTE DE JODELET[10]	*valet de Du Croisy.*
DEUX PORTEURS DE CHAISE[11].	
VOISINES.	
VIOLONS.	

La scène est à Paris, dans une salle basse de la maison de Gorgibus.

---

1. **La Grange** : comédien de 20 ans, spécialisé dans les rôles de jeune premier. Conformément à la tradition de la farce, le personnage porte le nom de l'acteur qui a créé le rôle.
2. **Rebuté** : rejeté.
3. **Du Croisy** : jeune comédien entré dans la troupe en 1659, avec La Grange.
4. **Gorgibus** : personnage de farce créé par Molière dans *La Jalousie du Barbouillé* (joué en province) et *Le Médecin volant*.
5. **Magdelon** : diminutif de Madeleine Béjart. C'est aussi le prénom de la précieuse Madeleine de Scudéry (se prononce « Madelon »).
6. **Cathos** : diminutif de l'actrice Catherine de Brie, qui joue le personnage. C'est aussi le prénom de la précieuse Catherine de Rambouillet (se prononce « Catho »).
7. **Marotte** : diminutif de Marie, prénom de Mademoiselle Ragueneau, qui joue le rôle. Elle épousa La Grange en 1672.
8. **Almanzor** : nom d'un personnage de roman précieux.
9. **Mascarille** : de l'italien *mascara*, « masque ». Personnage joué par Molière. Apparaît déjà dans *L'Étourdi* (1655) et *Le Dépit amoureux* (1656).
10. **Jodelet** : acteur populaire, arrivé dans la troupe en 1659. Spécialisé dans les rôles de bouffon, il joue le visage enfariné.
11. **Chaise** : siège fermé et couvert, porté par deux hommes.

Scène 1 LA GRANGE, DU CROISY.

DU CROISY. Seigneur[1] La Grange...

LA GRANGE. Quoi ?

DU CROISY. Regardez-moi un peu sans rire.

LA GRANGE. Eh bien ?

5 **DU CROISY.** Que dites-vous de notre visite ? en êtes-vous fort satisfait ?

LA GRANGE. À votre avis, avons-nous sujet de l'être tous deux ?

DU CROISY. Pas tout à fait, à dire vrai.

LA GRANGE. Pour moi, je vous avoue que j'en suis tout scandalisé. A-t-on jamais vu, dites-moi, deux pecques[2] provinciales faire
10 plus les renchéries[3] que celles-là, et deux hommes traités avec plus
de mépris que nous ? À peine ont-elles pu se résoudre à nous faire
donner des sièges. Je n'ai jamais vu tant parler à l'oreille qu'elles
ont fait entre elles, tant bâiller, tant se frotter les yeux, et demander
tant de fois : « Quelle heure est-il ?[4] » Ont-elles répondu que[5] oui et
15 non à tout ce que nous avons pu leur dire ? Et ne m'avouerez-vous
pas enfin que, quand nous aurions été[6] les dernières personnes du
monde[7], on ne pouvait nous faire pis qu'elles ont fait ?

DU CROISY. Il me semble que vous prenez la chose fort à cœur.

LA GRANGE. Sans doute, je l'y prends[8], et de telle façon, que je
20 veux me venger de cette impertinence[9]. Je connais[10] ce qui nous a
fait mépriser. L'air précieux n'a pas seulement infecté Paris, il s'est

---

1. **Seigneur** : ici, un peu ironique.
2. **Pecques** : femmes sottes et prétentieuses.
3. **Faire [...] les renchéries** : faire les dédaigneuses.
4. **Quelle heure est-il** : chez les précieuses, il est de bon ton de manifester de l'ennui.
5. **Que** : autre chose que.
6. **Quand nous aurions été** : même si nous avions été.
7. **Les dernières personnes du monde** : des moins que rien.
8. **Sans doute, je l'y prends** : évidemment que je prends la chose à cœur !
9. **Impertinence** : conduite sotte et impolie.
10. **Connais** : sais

aussi répandu dans les provinces, et nos donzelles[1] ridicules en ont humé leur bonne part[2]. En un mot, c'est un ambigu[3] de précieuse et de coquette que leur personne. Je vois ce qu'il faut être pour en être bien reçu ; et si vous m'en croyez, nous leur jouerons tous deux une pièce[4] qui leur fera voir leur sottise, et pourra leur apprendre à connaître un peu mieux leur monde.

DU CROISY. Et comment encore ?

LA GRANGE. J'ai un certain valet, nommé Mascarille, qui passe, au sentiment de beaucoup de gens, pour une manière de bel esprit[5] ; car il n'y a rien à meilleur marché que le bel esprit maintenant. C'est un extravagant, qui s'est mis dans la tête de vouloir faire l'homme de condition[6]. Il se pique[7] ordinairement de galanterie[8] et de vers, et dédaigne les autres valets, jusqu'à les appeler brutaux[9].

DU CROISY. Eh bien ! qu'en prétendez-vous faire ?[10]

LA GRANGE. Ce que j'en prétends faire ? Il faut... Mais sortons d'ici auparavant.

Scène 2 GORGIBUS, DU CROISY, LA GRANGE.

GORGIBUS. Eh bien ! vous avez vu ma nièce et ma fille : les affaires[11] iront-elles bien ? Quel est le résultat de cette visite ?

---

1. **Donzelles :** jeunes sottes.
2. **En ont humé leur bonne part :** en ont respiré une bonne bouffée (figuré).
3. **Ambigu :** mélange.
4. **Pièce :** bon tour.
5. **Une manière de bel esprit :** un homme raffiné, spirituel et cultivé.
6. **Faire l'homme de condition :** jouer les aristocrates.
7. **Il se pique de :** il a la prétention de.
8. **Galanterie :** belles manières, notamment avec les femmes.
9. **Brutaux :** brutes, comme des bêtes.
10. **Qu'en prétendez-vous faire ? :** que prévoyez-vous de faire de lui ?
11. **Affaires :** projets de mariage.

LA GRANGE. C'est une chose que vous pourrez mieux apprendre d'elles que de nous. Tout ce que nous pouvons vous dire, c'est que nous vous rendons grâce[1] de la faveur que vous nous avez faite, et demeurons vos très humbles serviteurs[2].

GORGIBUS, *seul.* Ouais ! il semble qu'ils sortent mal satisfaits d'ici. D'où pourrait venir leur mécontentement ? Il faut savoir un peu ce que c'est. Holà !

Scène 3 MAROTTE, GORGIBUS.

MAROTTE. Que désirez-vous, Monsieur ?

GORGIBUS. Où sont vos maîtresses ?

MAROTTE. Dans leur cabinet[3].

GORGIBUS. Que font-elles ?

MAROTTE. De la pommade pour les lèvres.

GORGIBUS. C'est trop pommadé[4]. Dites-leur qu'elles descendent. *(Seul.)* Ces pendardes-là, avec leur pommade, ont, je pense, envie de me ruiner. Je ne vois partout que blancs d'œufs[5], lait virginal[6], et mille autres brimborions[7] que je ne connais point. Elles ont usé, depuis que nous sommes ici, le lard[8] d'une douzaine de cochons, pour le moins, et quatre valets vivraient tous les jours des pieds de mouton qu'elles emploient.

---

1. **Nous vous rendons grâce :** nous vous remercions.
2. **Vos très humbles serviteurs :** formule de politesse ici excessive et ironique.
3. **Cabinet :** boudoir, petite pièce intime destinée à la conversation ou au travail.
4. **Pommadé :** terme créé par les précieux. Ici, ironique.
5. **Blancs d'œufs :** ce produit naturel étaient censé éclaircir le teint.
6. **Lait virginal :** produit de beauté à base de lait.
7. **Brimborions :** objets sans valeur.
8. **Lard :** la graisse qui entre dans la composition des produits de beauté.

Clefs d'analyse

Action et personnages

1. À quel milieu social appartiennent La Grange et Du Croisy ? Qui sont-ils ? Citez vos indices.

2. Dans quelle intention ont-ils rendu visite aux filles de Gorgibus ? Que s'est-il passé durant cette entrevue ?

3. La Grange : quels sentiments éprouve-t-il ? Que projette-t-il ? Repérez, dans ses répliques, un mot-clé annonçant une péripétie.

4. Qui parle le plus dans la scène 1 ? Qui parle le moins ? Que peut-on en déduire du caractère des deux jeunes gens et de leur relation ?

5. Faites le point sur les informations qui nous sont données sur les deux précieuses : noms, origines, âge, conduite, langage, etc.

6. Qui est Mascarille ? Sur quels aspects du personnage insiste le portrait esquissé par La Grange ? Relevez les mots-clés.

Langue

7. Par quels termes et constructions s'exprime la colère de La Grange dans la première tirade (sc. 1, l. 8-17) ? Relevez notamment le vocabulaire dépréciatif appliqué aux deux jeunes filles et expliquez quelles caractéristiques précieuses il met en évidence.

8. Précisez la valeur dramatique des points de suspension dans la phrase interrompue « Il faut…. » (sc. 1, l. 36).

9. Analysez les paroles de Gorgibus dans les lignes 6 à 12 de la scène 3 : réalisme, jeux de mots, exagérations. Comment réagit le spectateur ou le lecteur ?

Genre ou thèmes

10. Qu'apprenons-nous dans la scène 1 sur la préciosité ?

11. Peut-on d'ores et déjà identifier le genre de la pièce ? Peut-on ici parler d'une exposition « comique » ? Justifiez votre réponse par des références précises au texte.

12. Dans ces trois scènes, observez les oppositions Paris/province, et noblesse/bourgeoisie : que révèlent-elles de la société du XVIIe siècle ?

Écriture

13. Racontez, sous la forme d'un récit, la rencontre des deux précieuses avec leurs prétendants. Votre texte intégrera de brefs portraits et des fragments de dialogues. Il tiendra compte des informations données dans la scène 1.

14. Dans un dialogue argumentatif animé, les deux jeunes gens échangent toutes sortes d'idées pour se venger des deux précieuses…

15. « Il n'y a rien à meilleur marché que le bel esprit maintenant » (scène 1, l. 31) : sur ce modèle, proposez deux remarques moralistes à travers lesquelles vous soulignerez les défauts majeurs de notre propre société.

Pour aller plus loin

16. Que désigne, au temps de Molière, l'expression « homme de condition » (scène 1, l. 33) ? Proposez deux termes ou expressions de sens équivalent.

17. Molière engage ici une satire des mœurs de son siècle. À l'aide du dictionnaire, précisez le sens du mot « satire ».

✳ À retenir

Conformément à la tradition du théâtre classique, Molière, dans les scènes d'exposition, renseigne le spectateur sur les personnages principaux et pose les premiers éléments de l'intrigue. Ainsi apprend-on ici que deux jeunes gens de la bonne société, éconduits par deux jeunes précieuses fraîchement débarquées à Paris, préparent une vengeance dont le valet Mascarille sera l'exécutant.

Projet de costume de Marie-Hélène Dasté pour *Les Précieuses ridicules*,
vers 1920. Bibliothèque nationale de France, Paris.

Scène 4 GORGIBUS, MAGDELON, CATHOS.

GORGIBUS. Il est bien nécessaire vraiment de faire tant de dépense pour vous graisser le museau[1]. Dites-moi un peu ce que vous avez fait à ces Messieurs, que je les vois sortir avec tant de froideur ? Vous avais-je pas[2] commandé de les recevoir comme des
5 personnes que je voulais vous donner pour maris ?

MAGDELON. Et quelle estime, mon père, voulez-vous que nous fassions[3] du procédé irrégulier[4] de ces gens-là ?

CATHOS. Le moyen, mon oncle, qu'une fille un peu raisonnable se pût accommoder de leur personne[5] ?

10 **GORGIBUS.** Et qu'y trouvez-vous à redire ?

MAGDELON. La belle galanterie[6] que la leur ! Quoi ? débuter d'abord par le mariage !

GORGIBUS. Et par où veux-tu donc qu'ils débutent ? par le concubinage[7] ? N'est-ce pas un procédé dont vous avez sujet de
15 vous louer toutes deux aussi bien que moi ? Est-il rien de plus obligeant[8] que cela ? Et ce lien sacré où ils aspirent, n'est-il pas un témoignage de l'honnêteté de leurs intentions ?

MAGDELON. Ah ! mon père, ce que vous dites là est du dernier bourgeois[9]. Cela me fait honte de vous ouïr parler de la sorte, et
20 vous devriez un peu vous faire apprendre le bel air des choses[10].

---

1. **Graisser le museau** : maquiller.
2. **Vous avais-je pas** : ne vous avais-je pas.
3. **Quelle estime [...] fassions** : comment voulez-vous que nous accordions du prix à.
4. **Procédé irrégulier** : manières qui ne respectent pas le protocole précieux.
5. **Le moyen [...] leur personne ?** : comment une jeune fille sensée pourrait-elle accepter ces gens-là ?
6. **Galanterie** : manière de faire la cour à une femme.
7. **Concubinage** : vie commune sans être marié (impensable dans une bonne famille au XVIIe siècle).
8. **Obligeant** : aimable et courtois.
9. **Du dernier bourgeois** : vraiment vulgaire (expression précieuse).
10. **Le bel air des choses** : les bonnes manières.

GORGIBUS. Je n'ai que faire ni d'air ni de chanson. Je te dis que le mariage est une chose sainte et sacrée, et que c'est faire en honnêtes gens[1] que de débuter par là.

MAGDELON. Mon Dieu, que, si tout le monde vous ressemblait,
25 un roman serait bientôt fini ! La belle chose que ce serait si d'abord Cyrus épousait Mandane, et qu'Aronce de plain-pied fût marié à Clélie[2] !

GORGIBUS. Que me vient conter celle-ci ?

MAGDELON. Mon père, voilà ma cousine qui vous dira, aussi bien
30 que moi, que le mariage ne doit jamais arriver qu'après les autres aventures. Il faut qu'un amant[3], pour être agréable, sache débiter[4] les beaux sentiments, pousser[5] le doux, le tendre et le passionné[6], et que sa recherche[7] soit dans les formes. Premièrement, il doit voir au temple[8], ou à la promenade, ou dans quelque cérémonie publique, la
35 personne dont il devient amoureux ; ou bien être conduit fatalement[9] chez elle par un parent ou un ami, et sortir de là tout rêveur et mélancolique. Il cache un temps sa passion à l'objet[10] aimé, et cependant[11] lui rend plusieurs visites, où l'on ne manque jamais de mettre sur le tapis une question galante[12] qui exerce les esprits

---

1. **Faire en honnêtes gens :** agir en hommes du monde.
2. **Cyrus [...] Clélie :** héros et héroïnes de deux romans en dix volumes de Madeleine de Scudéry, *Artamène ou Le Grand Cyrus* et *Clélie*, énormes succès d'édition à l'époque. Dans ces deux œuvres, les mariages ne sont conclus qu'après de multiples obstacles et péripéties.
3. **Amant :** amoureux.
4. **Débiter :** exprimer.
5. **Pousser :** exprimer.
6. **Le doux [...] passionné :** les adjectifs substantivés étaient à la mode dans le langage précieux.
7. **Sa recherche :** la cour que l'homme amoureux fait à la femme.
8. **Au temple :** à l'église (lieu de rencontre mondaine à l'époque).
9. **Fatalement :** sous la conduite du destin.
10. **L'objet :** la personne.
11. **Cependant :** pendant ce temps..
12. **Mettre sur le tapis une question galante :** amener la conversation sur le thème de l'amour.

⁴⁰ de l'assemblée[1]. Le jour de la déclaration arrive, qui se doit faire ordinairement dans une allée de quelque jardin, tandis que la compagnie s'est un peu éloignée ; et cette déclaration est suivie d'un prompt courroux[2], qui paraît à notre rougeur[3], et qui, pour un temps, bannit[4] l'amant de notre présence. Ensuite il trouve moyen ⁴⁵ de nous apaiser, de nous accoutumer insensiblement au discours de sa passion[5], et de tirer de nous cet aveu qui fait tant de peine[6]. Après cela viennent les aventures, les rivaux qui se jettent à la traverse d'une inclination établie[7], les persécutions des pères, les jalousies conçues sur de fausses apparences, les plaintes, les déses-⁵⁰ poirs, les enlèvements, et ce qui s'ensuit. Voilà comme[8] les choses se traitent dans les belles manières et ce sont des règles dont, en bonne galanterie, on ne saurait se dispenser. Mais en venir de but en blanc[9] à l'union conjugale, ne faire l'amour[10] qu'en faisant le contrat du mariage, et prendre justement le roman par la queue[11] ! ⁵⁵ encore un coup[12] mon père, il ne se peut rien de plus marchand[13] que ce procédé ; et j'ai mal au cœur de la seule vision que cela me fait.

GORGIBUS. Quel diable de jargon entends-je ici ? Voici bien du haut style.

---

1. **Qui exerce les esprits de l'assemblée :** qui stimule et anime les réunions mondaines (on aimait particulièrement discuter de sujets amoureux ; ainsi définissait-on un code précieux de l'amour).
2. **Prompt courroux :** colère immédiate.
3. **Qui paraît à notre rougeur :** qui se manifeste par la rougeur soudaine de notre visage.
4. **Bannit :** interdit.
5. **Discours de sa passion :** déclaration d'amour.
6. **Cet aveu qui fait tant de peine :** l'aveu de notre amour, qui est si difficile à exprimer (car il faut faire violence à sa pudeur).
7. **Les rivaux [...] établie :** les rivaux qui cherchent à faire obstacle à une relation déjà établie.
8. **Comme :** comment.
9. **De but en blanc :** instantanément.
10. **Faire l'amour :** faire la cour.
11. **Par la queue :** en commençant par la fin (c'est-à-dire par la demande en mariage).
12. **Encore un coup :** encore une fois.
13. **Marchand :** vulgaire.

60 **CATHOS.** En effet, mon oncle, ma cousine donne dans le vrai de la chose[1]. Le moyen de bien recevoir des gens qui sont tout à fait incongrus[2] en galanterie ? Je m'en vais gager[3] qu'ils n'ont jamais vu la carte de Tendre[4], et que Billets-Doux, Petits-Soins, Billets-Galants et Jolis-Vers[5], sont des terres inconnues pour eux. Ne voyez-vous
65 pas que toute leur personne marque[6] cela, et qu'ils n'ont point cet air qui donne d'abord[7] bonne opinion des gens ? Venir en visite amoureuse avec une jambe toute unie[8], un chapeau désarmé de plumes[9], une tête irrégulière en cheveux[10], et un habit qui souffre une indigence de rubans[11] !... mon Dieu, quels amants sont-ce là !
70 Quelle frugalité d'ajustement[12] et quelle sécheresse de conversation[13] ! On n'y dure point[14], on n'y tient pas. J'ai remarqué encore que leurs rabats[15] ne sont pas de la bonne faiseuse[16], et qu'il s'en faut plus d'un grand demi-pied que leurs hauts-de-chausses ne soient assez larges[17].

---

1. **Donne dans le vrai de la chose :** dit l'exacte vérité (les précieuses utilisent constamment des adjectifs substantivés).
2. **Incongrus :** irrespectueux des règles de la galanterie.
3. **Gager :** parier.
4. **Carte de Tendre :** carte créée par mademoiselle de Scudéry dans son roman *Clélie* (1654-1660), qui représentait la géographie des sentiments amoureux.
5. **Billets-Doux [...] Jolis-Vers :** villages figurant sur l'itinéraire de la Carte du Tendre.
6. **Marque :** manifeste.
7. **D'abord :** dès la première rencontre.
8. **Jambe toute unie :** sans ornement (une dentelle serrait le genoux des hommes élégants).
9. **Désarmé de plumes :** dépourvu de plumes.
10. **Tête irrégulière en cheveux :** tête privée de l'indispensable perruque frisée que les nobles portaient à l'époque.
11. **Qui souffre une indigence de rubans :** qui présente une pauvreté d'ornements.
12. **Frugalité d'ajustement :** pauvreté dans l'habit.
13. **Sécheresse de conversation :** austérité, froideur dans les propos (les précieuses aiment utiliser des métaphores).
14. **On n'y dure point :** on ne le supporte pas.
15. **Rabats :** cols de toile fine, parfois garnie de dentelles, qui tombaient sur la poitrine.
16. **Faiseuse :** ici, couturière ou dentellière qui a fabriqué les rabats.
17. **Qu'il s'en faut [...] larges :** il manque un demi-pied (environ 16 cm) de largeur à leurs culottes (on les portait très larges à l'époque).

75 **GORGIBUS.** Je pense qu'elles sont folles toutes deux, et je ne puis rien comprendre à ce baragouin[1]. Cathos, et vous, Magdelon…

MAGDELON. Eh ! de grâce, mon père, défaites-vous de ces noms étranges, et nous appelez[2] autrement.

GORGIBUS. Comment, ces noms étranges ! Ne sont-ce pas vos
80 noms de baptême ?

MAGDELON. Mon Dieu, que vous êtes vulgaire ! Pour moi, un de mes étonnements, c'est que vous ayez pu faire une fille si spirituelle que moi. A-t-on jamais parlé dans le beau style de Cathos ni[3] de Magdelon ? et ne m'avouerez-vous pas que ce serait assez d'un
85 de ces noms pour décrier[4] le plus beau roman du monde ?

CATHOS. Il est vrai, mon oncle, qu'une oreille un peu délicate pâtit furieusement[5] à entendre prononcer ces mots-là ; et le nom de Polixène que ma cousine a choisi, et celui d'Aminte[6] que je me suis donné, ont une grâce dont il faut que vous demeuriez d'accord.

90 **GORGIBUS.** Écoutez, il n'y a qu'un mot qui serve[7] : je n'entends[8] point que vous ayez d'autres noms que ceux qui vous ont été donnés par vos parrains et marraines ; et pour ces Messieurs dont il est question, je connais leurs familles et leurs biens, et je veux résolument que vous vous disposiez à les recevoir pour maris. Je me
95 lasse de vous avoir sur les bras, et la garde de deux filles est une charge un peu trop pesante pour un homme de mon âge.

CATHOS. Pour moi, mon oncle, tout ce que je vous puis dire, c'est que je trouve le mariage une chose tout à fait choquante.

---

1. **Baragouin :** charabia.
2. **Nous appelez :** appelez-nous.
3. **Ni :** et.
4. **Décrier :** déprécier, ôter de sa valeur à.
5. **Pâtit furieusement :** souffre terriblement. Les précieux aiment utiliser des tournures hyperboliques et des adverbes superlatifs.
6. **Polyxène [...] Aminte :** conformément à l'usage en cours chez les précieuses, les deux jeunes filles se rebaptisent à l'aide de noms empruntés à la mythologie grecque ou latine, ou à la littérature.
7. **Qui serve :** à dire.
8. **Entends :** comprends.

100 Comment est-ce qu'on peut souffrir la pensée de coucher contre un homme vraiment nu ?

MAGDELON. Souffrez que nous prenions un peu haleine[1] parmi le beau monde de Paris, où nous ne faisons que d'arriver. Laissez-nous faire à loisir le tissu de notre roman[2], et n'en pressez point tant la conclusion.

105 **GORGIBUS,** *à part.* Il n'en faut point douter, elles sont achevées[3]. *(Haut.)* Encore un coup, je n'entends rien à toutes ces balivernes ; je veux être maître absolu ; et pour trancher toutes sortes de discours, ou vous serez mariées toutes deux avant qu'il soit peu, ou, ma foi ! vous serez religieuses : j'en fais un bon serment.

Scène 5 CATHOS, MAGDELON.

CATHOS. Mon Dieu ! ma chère, que ton père a la forme enfoncée dans la matière[4] ! que son intelligence est épaisse et qu'il fait sombre dans son âme !

MAGDELON. Que veux-tu, ma chère ? J'en suis en confusion pour 5 lui. J'ai peine à me persuader que je puisse être véritablement sa fille, et je crois que quelque aventure, un jour, me viendra dévelop-per[5] une naissance plus illustre.

CATHOS. Je le croirais bien ; oui, il y a toutes les apparences du monde ; et pour moi, quand je me regarde aussi...

---

1. **Que nous prenions un peu haleine :** que nous reprenions notre souffle.
2. **Faire à loisir le tissu de notre roman :** réaliser le roman d'amour dont nous rêvons.
3. **Achevées :** complètement folles.
4. **A la forme enfoncée dans la matière :** est bassement matérialiste (jargon philosophique).
5. **Développer :** révéler.

Clefs d'analyse

Action et personnages

1. Dans quelle humeur se trouve Gorgibus au début de la scène 4 ? Pourquoi ?

2. Quelles critiques Cathos et Magdelon adressent-elles à Gorgibus ? Que pensez-vous de leurs propos ?

3. Que reprochent précisément les jeunes filles à leurs deux prétendants ? En vertu de quel code sont-elles aussi sévères ?

4. Dans la scène 4, montrez que Magdelon fait la morale à son père : pourquoi peut-on parler ici de parodie ?

5. Quels sujets sont tour à tour abordés dans la scène 4 ?

6. Pourquoi les deux jeunes filles changent-elles de prénom ? Commentez le choix de leurs nouveaux prénoms.

Langue

7. Dans la scène 4, Gorgibus dénonce le « jargon » (l. 57), le « baragouin » (l. 76), les « balivernes » (l. 106) de Cathos et Magdelon. En fait, que condamne-t-il ?

8. Caractérisez le jargon précieux de Cathos et de Magdelon en nommant et en classant les expressions les plus caractéristiques.

9. Quelle différence de caractère et de vision du monde révèle l'opposition du langage entre les jeunes précieuses et Gorgibus ?

10. Montrez que le code de la galanterie présenté par Magdelon est un vrai règlement auquel on se doit d'obéir. Citez quelques expressions caractéristiques.

Genre ou thèmes

11. Quel sont les étapes successives du code amoureux tel que le présente Magdelon dans sa longue tirade argumentative (scène 4, l. 29-57) ? Quelle part la jeune précieuse accorde-t-elle à l'improvisation et à la spontanéité dans ce protocole de la séduction ?

Clefs d'analyse   Scènes 4 et 5

12. Quelles conceptions du mariage défendent respectivement les deux jeunes filles et Gorgibus ?

13. Analysez le comique de caractère et de mots dans la scène 4.

14. Sur quoi porte exactement la satire ici ? Montrez qu'elle s'appuie sur une parodie de la préciosité en vogue dans les salons parisiens de l'époque.

Écriture

15. À la manière de Magdelon dans les lignes 29 à 57, présentez les étapes du code amoureux tel qu'il est pratiqué par les adolescents de votre génération.

Pour aller plus loin

16. La pruderie a souvent été dénoncée par Molière, notamment celle des femmes face au mariage. Précisez le sens de ce terme et comparez l'attitude de Cathos (scène 4, l. 97-100) à celle d'Armande dans *Les Femmes savantes* (v. 9-12).

17. Retrouvez dans *Les Fourberies de Scapin*, *Le Malade imaginaire*, *L'Avare*, une scène de conflit entre un père et son fils ou sa fille. Sur quels problèmes porte le conflit ?

✳ À retenir

La comédie chez Molière a une visée satirique : elle se propose de corriger les mœurs en soulignant l'aspect grotesque et risible de certaines attitudes. Dans la scène 4, le jargon précieux de Magdelon et Cathos est mis en évidence par le contraste comique qui l'oppose au langage terre à terre et réaliste de Gorgibus. À travers cette mise en cause du langage, c'est le comportement des précieuses que Molière ridiculise.

Scène 6 MAROTTE, CATHOS, MAGDELON.

MAROTTE. Voilà un laquais qui demande si vous êtes au logis, et dit que son maître vous veut venir voir.

MAGDELON. Apprenez, sotte, à vous énoncer moins vulgairement. Dites : « Voilà un nécessaire[1] qui demande si vous êtes en commo-
5 dité d'être visibles. »

MAROTTE. Dame ! je n'entends[2] point le latin, et je n'ai pas appris, comme vous, la filofie dans *le Grand Cyre*[3].

MAGDELON. L'impertinente ! Le moyen de souffrir[4] cela ? Et qui est-il, le maître de ce laquais ?

10 **MAROTTE.** Il me l'a nommé le marquis de Mascarille.

MAGDELON. Ah ! ma chère, un marquis ! Oui, allez dire qu'on nous peut voir. C'est sans doute un bel esprit qui aura ouï parler de nous.

CATHOS. Assurément, ma chère.

MAGDELON. Il faut le recevoir dans cette salle basse[5], plutôt
15 qu'en notre chambre. Ajustons un peu nos cheveux au moins, et soutenons notre réputation. Vite, venez nous tendre ici dedans le conseiller des grâces[6].

MAROTTE. Par ma foi, je ne sais point quelle bête c'est là : il faut parler chrétien[7], si vous voulez que je vous entende.

20 **CATHOS.** Apportez-nous le miroir, ignorante que vous êtes, et gardez-vous bien d'en salir la glace par la communication de votre image. *(Elles sortent.)*

---

1. **Nécessaire :** laquais (quelqu'un dont la présence est toujours nécessaire).
2. **Entends :** comprends.
3. **La filofie dans *le Grand Cyre* :** la philosophie dans *Le Grand Cyrus*, roman précieux de mademoiselle de Scudéry.
4. **Souffrir :** supporter.
5. **Salle basse :** pièce où l'on prend ses repas (les deux jeunes précieuses, peu fortunées, ne disposent pas d'un salon où recevoir leurs visiteurs).
6. **Conseiller des grâces :** miroir (en langage précieux).
7. **Parler chrétien :** parler intelligemment.

Scène 7 Mascarille, Deux Porteurs.

MASCARILLE. Holà, porteurs, holà ! Là, là, là, là, là, là. Je pense que ces marauds-là[1] ont dessein de me briser à force de heurter contre les murailles et les pavés.

PREMIER PORTEUR. Dame ! c'est que la porte est étroite : vous avez voulu aussi que nous soyons entrés[2] jusqu'ici.

MASCARILLE. Je le crois bien. Voudriez-vous, faquins[3], que j'exposasse l'embonpoint de mes plumes[4] aux inclémences[5] de la saison pluvieuse, et que j'allasse imprimer mes souliers en boue[6] ? Allez, ôtez votre chaise d'ici.

DEUXIÈME PORTEUR. Payez-nous donc, s'il vous plaît, Monsieur.

MASCARILLE. Hem ?

DEUXIÈME PORTEUR. Je dis, Monsieur, que vous nous donniez de l'argent, s'il vous plaît.

MASCARILLE, *lui donnant un soufflet.* Comment, coquin , demander de l'argent à une personne de ma qualité[7] !

DEUXIÈME PORTEUR. Est-ce ainsi qu'on paye les pauvres gens ? et votre qualité nous donne-t-elle à dîner ?

MASCARILLE. Ah ! ah ! ah ! je vous apprendrai à vous connaître[8] ! Ces canailles-là s'osent jouer à moi[9].

PREMIER PORTEUR, *prenant un des bâtons de sa chaise.* Çà ! payez-nous vitement !

---

1. **Marauds :** terme méprisant qui désigne les porteurs (Mascarille, comme les riches, se déplace en chaise à porteur pour ne pas se salir les jambes).
2. **Que nous soyons entrés :** on dirait aujourd'hui « que nous entrions ».
3. **Faquins :** canailles.
4. **L'embonpoint de mes plumes :** le parfait état des plumes de mon chapeau.
5. **Inclémences :** rigueurs.
6. **Imprimer mes souliers en boue :** tacher mes souliers de boue.
7. **De ma qualité :** de mon rang (la noblesse).
8. **À vous connaître :** à vous estimer à votre juste valeur.
9. **S'osent jouer à moi :** osent s'attaquer à moi.

MASCARILLE. Quoi ?

PREMIER PORTEUR. Je dis que je veux avoir de l'argent tout à l'heure[1].

25 **MASCARILLE.** Il[2] est raisonnable.

PREMIER PORTEUR. Vite donc.

MASCARILLE. Oui-da. Tu parles comme il faut, toi ; mais l'autre est un coquin qui ne sait ce qu'il dit. Tiens : es-tu content ?

PREMIER PORTEUR. Non, je ne suis pas content : vous avez
30 donné un soufflet à mon camarade, et… *(Levant son bâton.)*

MASCARILLE. Doucement. Tiens, voilà pour le soufflet. On obtient tout de moi quand on s'y prend de la bonne façon. Allez, venez me reprendre tantôt pour aller au Louvre, au petit coucher[3].

Scène 8 MAROTTE, MASCARILLE.

MAROTTE. Monsieur, voilà mes maîtresses qui vont venir tout à l'heure[1].

MASCARILLE. Qu'elles ne se pressent point : je suis ici posté[4] commodément pour attendre.

5 **MAROTTE.** Les voici.

---

1. **Tout à l'heure :** immédiatement.
2. **Il :** cela.
3. **Petit coucher :** dernière partie de la cérémonie qui précède le coucher du roi. Faveur réservée à quelques privilégiés.
4. **Posté :** installé.

Madeleine Delavaivre (Magdelon), Jean Paredes (Mascarille)
et Dominique Arden (Cathos), dans la mise en scène de Jean-Pierre Granval,
Théâtre de France, Paris, 1961.

Scène 9 MASCARILLE, MAGDELON, CATHOS, ALMANZOR.

MASCARILLE, *après avoir salué.* Mesdames[1], vous serez surprises, sans doute, de l'audace de ma visite ; mais votre réputation vous attire cette méchante affaire[2], et le mérite[3] a pour moi des charmes[4] si puissants, que je cours partout après lui.

5 **MAGDELON.** Si vous poursuivez le mérite, ce n'est pas sur nos terres que vous devez chasser.

CATHOS. Pour voir chez nous le mérite, il a fallu que vous l'y ayez amené.

MASCARILLE. Ah ! je m'inscris en faux[5] contre vos paroles. La
10 renommée accuse juste[6] en contant ce que vous valez[7] ; et vous allez faire pic, repic et capot[8] tout ce qu'il y a de galant dans Paris[9].

MAGDELON. Votre complaisance[10] pousse un peu trop avant la libéralité[11] de ses louanges ; et nous n'avons garde, ma cousine et moi, de donner de notre sérieux dans le doux de votre flatterie[12].

15 **CATHOS.** Ma chère, il faudrait faire donner des sièges.

MAGDELON. Holà, Almanzor[13] !

---

1. **Mesdames :** terme qui s'adresse traditionnellement aux femmes nobles. Ici, flatteur.
2. **Méchante affaire :** visite déplaisante (style précieux).
3. **Mérite :** valeur personnelle.
4. **Charmes :** attirance qui tient du sortilège.
5. **Je m'inscris en faux :** je m'élève contre, je proteste.
6. **Accuse juste :** dit la vérité.
7. **En contant ce que vous valez :** quand elle mentionne votre valeur (vos qualités).
8. **Faire pic, repic et capot :** formules empruntées au piquet (jeu de cartes), quand le joueur écrase ses adversaires.
9. **Tout ce qu'il y a de galant :** toutes les femmes de la haute société.
10. **Complaisance :** amabilité.
11. **Libéralité :** générosité.
12. **Donner [...] flatterie :** prendre au sérieux vos compliments.
13. **Almanzor :** nom de roman que les précieuses attribuent à leur laquais.

Scène 9

ALMANZOR. Madame.

MAGDELON. Vite, voiturez-nous[1] ici les commodités de la conversation[2].

20 **MASCARILLE.** Mais au moins, y a-t-il sûreté ici pour moi ?
(Almanzor sort.)

CATHOS. Que craignez-vous ?

MASCARILLE. Quelque vol de mon cœur, quelque assassinat de ma franchise[3]. Je vois ici des yeux qui ont la mine d'être de
25 fort mauvais garçons, de faire insulte[4] aux libertés, et de traiter une âme de Turc à More[5]. Comment diable, d'abord qu'on les approche[6], ils se mettent sur leur garde meurtrière[7] ? Ah ! par ma foi, je m'en défie, et je m'en vais gagner au pied[8], ou je veux caution bourgeoise[9] qu'ils ne me feront point de mal.

30 **MAGDELON.** Ma chère, c'est le caractère[10] enjoué.

CATHOS. Je vois bien que c'est un Amilcar[11].

MAGDELON. Ne craignez rien : nos yeux n'ont point de mauvais desseins, et votre cœur peut dormir en assurance sur leur prud'homie[12].

35 **CATHOS.** Mais de grâce, Monsieur, ne soyez pas inexorable[13] à ce fauteuil qui vous tend les bras il y a[14] un quart d'heure ; contentez un peu l'envie qu'il a de vous embrasser.

---

1. **Voiturez-nous :** apportez-nous.
2. **Commodités de la conversation :** fauteuils (métaphore précieuse).
3. **Franchise :** liberté.
4. **Faire insulte à :** attaquer par surprise (terme militaire).
5. **De Turc à More :** impitoyablement, à la manière d'un Turc qui a vaincu un Maure.
6. **D'abord qu'on les approche :** dès qu'on les approche.
7. **Sur leur garde meurtrière :** en position d'attaque meutrière (terme d'escrime).
8. **Gagner au pied :** m'enfuir (expression vieillie, à l'époque).
9. **Caution bourgeoise :** garantie fournie par un bourgeois, donc solide.
10. **Le caractère :** le genre.
11. **Un Amilcar :** personnage du roman *Clélie*, de mademoiselle de Scudéry, incarnant la gaieté et le charme.
12. **En assurance de leur prud'homie :** en étant sûr de leur loyauté.
13. **Inexorable :** impitoyable.
14. **Il y a :** depuis.

MASCARILLE, *après s'être peigné et avoir ajusté ses canons*[1]. Eh bien, Mesdames, que dites-vous de Paris ?

40 **MAGDELON.** Hélas ! qu'en pourrions-nous dire ? Il faudrait être l'antipode[2] de la raison, pour ne pas confesser que Paris est le grand bureau[3] des merveilles, le centre du bon goût, du bel esprit et de la galanterie.

MASCARILLE. Pour moi, je tiens que[4] hors de Paris, il n'y a point 45 de salut pour les honnêtes gens[5].

CATHOS. C'est une vérité incontestable.

MASCARILLE. Il y fait un peu crotté ; mais nous avons la chaise[6].

MAGDELON. Il est vrai que la chaise est un retranchement[7] merveilleux contre les insultes de la boue et du mauvais temps.

50 **MASCARILLE.** Vous recevez beaucoup de visites : quel bel esprit est des vôtres ?

MAGDELON. Hélas ! nous ne sommes pas encore connues ; mais nous sommes en passe de l'être[8], et nous avons une amie particulière[9] qui nous a promis d'amener ici tous ces Messieurs du 55 *Recueil des pièces choisies*[10].

CATHOS. Et certains autres qu'on nous a nommés aussi pour être[11] les arbitres souverains des belles choses.

---

1. *Après [...] canons :* comme il est d'usage dans les salons précieux, Mascarille se coiffe et ajuste ses vêtements en public.
2. **L'antipode de :** le contraire de.
3. **Bureau :** carrefour. Les salons littéraires étaient appelés « bureaux d'esprits ».
4. **Je tiens que :** j'estime que.
5. **Honnêtes gens :** gens de la bonne société.
6. **Il y fait [...] chaise :** les rues y sont sales et boueuses, mais nous avons une chaise à porteur.
7. **Retranchement :** position de défense (terme militaire).
8. **Nous sommes en passe de l'être :** nous sommes sur le point d'être connues.
9. **Particulière :** intime.
10. *Recueil des pièces choisies :* recueil de vers et de prose publié en 1653 dans le goût précieux, auquel Corneille avait participé.
11. **Pour être :** comme.

MASCARILLE. C'est moi qui ferai votre affaire mieux que personne : ils me rendent tous visite ; et je puis dire que je ne me lève
60 jamais sans une demi-douzaine de beaux esprits[1].

MAGDELON. Eh ! mon Dieu, nous vous serons obligées de la dernière obligation[2], si vous nous faites cette amitié ; car enfin il faut
avoir la connaissance de tous ces Messieurs-là, si l'on veut être du
beau monde. Ce sont eux qui donnent le branle[3] à la réputation
65 dans Paris, et vous savez qu'il y en a tel dont il ne faut que la seule
fréquentation pour vous donner bruit de connaisseuse[4], quand
il n'y aurait rien autre chose que cela. Mais pour moi, ce que je
considère[5] particulièrement, c'est que, par le moyen de ces visites
spirituelles[6], on est instruite de cent choses qu'il faut savoir de
70 nécessité[7], et qui sont de l'essence d'un bel esprit. On apprend par
là chaque jour les petites nouvelles galantes, les jolis commerces[8]
de prose et de vers. On sait à point nommé : « Un tel a composé la
plus jolie pièce du monde sur un tel sujet ; une telle a fait des paroles
sur un tel air ; celui-ci a fait un madrigal[9] sur une jouissance[10] ;
75 celui-là a composé des stances[11] sur une infidélité ; Monsieur un tel
écrivit hier soir un sixain[12] à Mademoiselle une telle, dont elle lui a
envoyé la réponse ce matin sur les huit heures ; un tel auteur a fait
un tel dessein[13] ; celui-là en est à la troisième partie de son roman ;
cet autre met ses ouvrages sous la presse. » C'est là ce qui vous fait

---

1. **Je ne me lève [...] beaux esprits :** Mascarille prétend que, dès son lever, il est
   entouré d'une cour de personnes de qualité, comme le roi lui-même.
2. **Obligées de la dernière obligation :** extrêmement reconnaissantes.
3. **Donnent le branle :** donnent l'élan.
4. **Et vous savez [...] connaisseuse :** et vous savez que, parmi ces messieurs, il y en
   a certains dont la fréquentation suffit à vous établir une renommée.
5. **Considère :** apprécie.
6. **Visites spirituelles :** réunions où triomphe l'intelligence.
7. **De nécessité :** absolument.
8. **Commerces :** correspondances et échanges.
9. **Madrigal :** petit poème exprimant une pensée spirituelle et galante, très en vogue
   dans les salons précieux.
10. **Jouissance :** amour comblé.
11. **Stances :** poèmes lyriques composés de strophes à forme fixe.
12. **Sixain :** strophe de six vers.
13. **Dessein :** plan d'un ouvrage.

80 valoir dans les compagnies ; et si l'on ignore ces choses, je ne donnerais pas un clou[1] de tout l'esprit qu'on peut avoir.

CATHOS. En effet, je trouve que c'est renchérir sur le ridicule, qu'une personne se pique d'esprit[2] et ne sache pas jusqu'au moindre petit quatrain[3] qui se fait chaque jour ; et pour moi, j'aurais toutes
85 les hontes du monde s'il fallait qu'on vînt à me demander si j'aurais vu quelque chose de nouveau que je n'aurais pas vu.

MASCARILLE. Il est vrai qu'il est honteux de n'avoir pas des premiers tout ce qui se fait ; mais ne vous mettez pas en peine : je veux établir chez vous une Académie[4] de beaux esprits, et je vous
90 promets qu'il ne se fera pas un bout de vers dans Paris que vous ne sachiez par cœur avant tous les autres. Pour moi, tel que vous me voyez, je m'en escrime[5] un peu quand je veux ; et vous verrez courir de ma façon[6], dans les belles ruelles[7] de Paris, deux cents chansons[8], autant de sonnets[9], quatre cents épigrammes[10] et plus de
95 mille madrigaux[11], sans compter les énigmes[12] et les portraits.

MAGDELON. Je vous avoue que je suis furieusement pour les portraits ; je ne vois rien de si galant que cela.

MASCARILLE. Les portraits sont difficiles, et demandent un esprit profond. Vous en verrez de ma manière qui ne vous déplairont pas.

100 **CATHOS.** Pour moi, j'aime terriblement les énigmes.

---

1. **Je ne donnerais pas un clou :** je n'accorderais aucune valeur.
2. **Se pique d'esprit :** prétende avoir de l'esprit.
3. **Quatrain :** strophe de quatre vers.
4. **Académie :** société, communauté (à l'exemple de l'Académie française, fondée en 1634).
5. **Je m'en escrime :** je m'y exerce.
6. **De ma façon :** de ma fabrication.
7. **Ruelles :** ici, réunions mondaines, salons précieux.
8. **Chansons :** chansons d'amour, à la mode dans les salons précieux.
9. **Sonnets :** poèmes lyriques à forme fixe, constitués de deux quatrains et deux tercets.
10. **Épigrammes :** petits poèmes satiriques d'une seule strophe qui se terminent sur un trait d'esprit.
11. **Madrigaux :** petits poèmes exprimant une pensée spirituelle et galante.
12. **Énigmes :** charades et devinettes en vogue dans les salons précieux.

MASCARILLE. Cela exerce l'esprit, et j'en ai fait quatre encore ce matin, que je vous donnerai à deviner.

MAGDELON. Les madrigaux sont agréables, quand ils sont bien tournés.

105 **MASCARILLE.** C'est mon talent particulier ; et je travaille à mettre en madrigaux toute l'histoire romaine.

MAGDELON. Ah ! certes, cela sera du dernier beau. J'en retiens un exemplaire au moins, si vous le faites imprimer.

MASCARILLE. Je vous en promets à chacune un, et des mieux
110 reliés. Cela est au-dessous de ma condition[1] ; mais je le fais seulement pour donner à gagner aux libraires qui me persécutent[2].

MAGDELON. Je m'imagine que le plaisir est grand de se voir imprimé.

MASCARILLE. Sans doute[3]. Mais à propos, il faut que je vous dise
115 un impromptu[4] que je fis hier chez une duchesse de mes amies que je fus visiter ; car je suis diablement fort sur les impromptus.

CATHOS. L'impromptu est justement la pierre de touche[5] de l'esprit.

MASCARILLE. Écoutez donc.

MAGDELON. Nous y sommes de toutes nos oreilles.

120 **MASCARILLE.** Oh ! oh ! je n'y prenais pas garde :
Tandis que, sans songer à mal, je vous regarde,
Votre œil en tapinois[6] me dérobe[7] mon cœur.
Au voleur, au voleur, au voleur, au voleur !

---

1. **Au-dessous de ma condition :** les grands seigneurs écrivains ne publiaient pas leurs œuvres sous leur nom, considérant que le métier d'auteur n'était pas à la hauteur de leur rang.
2. **Qui me persécutent :** qui me harcèlent, qui cherchent à obtenir à tout prix mes œuvres.
3. **Sans doute :** sans aucun doute, absolument.
4. **Impromptu :** court poème improvisé.
5. **Pierre de touche :** au figuré, ce qui sert à faire connaître d'une manière certaine la nature, la qualité d'une chose.
6. **En tapinois :** en cachette.
7. **Me dérobe :** me vole.

Dessin de Jean-Michel Moreau le Jeune.
Bibliothèque nationale de France, Paris.

CATHOS. Ah ! mon Dieu ! voilà qui est poussé dans le dernier
125 galant[1].

MASCARILLE. Tout ce que je fais a l'air cavalier[2] ; cela ne sent
point le pédant.

MAGDELON. Il[3] en est éloigné de plus de deux mille lieues.

MASCARILLE. Avez-vous remarqué ce commencement : *Oh,*
130 *oh ?* Voilà qui est extraordinaire : *Oh, oh !* Comme un homme qui
s'avise[4] tout d'un coup : *Oh, oh !* La surprise : *Oh, oh !*

MAGDELON. Oui, je trouve ce *oh, oh !* admirable.

MASCARILLE. Il semble que cela ne soit[5] rien.

CATHOS. Ah ! mon Dieu, que dites-vous ? Ce sont là de ces sortes
135 de choses qui ne se peuvent payer[6].

MAGDELON. Sans doute[7] ; et j'aimerais mieux avoir fait ce *oh, oh !*
qu'un poème épique[8].

MASCARILLE. Tudieu[9] ! vous avez le goût bon.

MAGDELON. Eh ! je ne l'ai pas tout à fait mauvais.

140 **MASCARILLE.** Mais n'admirez-vous pas aussi *je n'y prenais pas*
garde ? Je n'y prenais pas garde, je ne m'apercevais pas de cela :
façon de parler naturelle : *je n'y prenais pas garde. Tandis que, sans*
songer à mal, tandis qu'innocemment, sans malice, comme un pauvre
mouton ; *je vous regarde*, c'est-à-dire je m'amuse à[10] vous considé-
145 rer, je vous observe, je vous contemple ; *Votre œil en tapinois...*
Que vous semble de ce mot *tapinois* ? n'est-il pas bien choisi ?

---

1. **Poussé dans le dernier galant :** le comble de la galanterie.
2. **Cavalier :** simple et sans prétention.
3. **Il :** cela.
4. **S'avise :** remarque.
5. **Ne soit :** n'est.
6. **Qui ne se peuvent payer :** qui n'ont pas de prix (qui ont une valeur extrême).
7. **Sans doute :** sans aucun doute, absolument.
8. **Poème épique :** épopée, long poème qui célèbre un héros, qui mêle la légende à l'histoire, le merveilleux au réel.
9. **Tudieu :** juron (contraction de « vertu de dieu »).
10. **Je m'amuse à :** je prends le temps de.

CATHOS. Tout à fait bien.

MASCARILLE. *Tapinois,* en cachette : il semble que ce soit un chat qui vienne de prendre une souris : *tapinois.*

150 **MAGDELON.** Il ne se peut rien de mieux.

MASCARILLE. *Me dérobe mon cœur,* me l'emporte, me le ravit[1]. *Au voleur, au voleur, au voleur, au voleur !* Ne diriez-vous pas que c'est un homme qui crie et court après un voleur pour le faire arrêter ? *Au voleur, au voleur, au voleur, au voleur !*

155 **MAGDELON.** Il faut avouer que cela a un tour spirituel et galant.

MASCARILLE. Je veux vous dire l'air que j'ai fait dessus.

CATHOS. Vous avez appris la musique ?

MASCARILLE. Moi ? Point du tout.

CATHOS. Et comment donc cela se peut-il ?

160 **MASCARILLE.** Les gens de qualité savent tout sans avoir jamais rien appris.

MAGDELON. Assurément, ma chère.

MASCARILLE. Écoutez si vous trouverez l'air à votre goût. *Hem, hem. La, la, la, la, la.* La brutalité de la saison a furieusement

165 outragé la délicatesse de ma voix[2] ; mais il n'importe, c'est à la cavalière[3]. *(Il chante.)*
Oh, oh, je n'y prenais pas…

CATHOS. Ah ! que voilà un air qui est passionné ! Est-ce qu'on n'en meurt point ?

170 **MAGDELON.** Il y a de la chromatique[4] là-dedans.

MASCARILLE. Ne trouvez-vous pas la pensée bien exprimée dans le chant ? *Au voleur !…* Et puis, comme si l'on criait bien fort, *au, au, au, au, au, au, voleur !* Et tout d'un coup, comme une personne essoufflée : *au voleur !*

---

1. **Ravit :** enlève.
2. **Outragé la délicatesse de ma voix :** Mascarille dit qu'il est enroué.
3. **À la cavalière :** sans façons.
4. **Chromatique :** terme de musique qui signifie ici « passion ».

175 **MAGDELON.** C'est là savoir le fin des choses, le grand fin, le fin du fin[1]. Tout est merveilleux, je vous assure ; je suis enthousiasmée de l'air et des paroles.

CATHOS. Je n'ai encore rien vu de cette force-là.

MASCARILLE. Tout ce que je fais me vient naturellement, c'est
180 sans étude.

MAGDELON. La nature vous a traité en vraie mère passionnée, et vous en êtes l'enfant gâté.

MASCARILLE. À quoi donc passez-vous le temps ?

CATHOS. À rien du tout.

185 **MAGDELON.** Nous avons été jusqu'ici dans un jeûne effroyable de divertissements[2].

MASCARILLE. Je m'offre à vous mener l'un de ces jours à la comédie[3], si vous voulez ; aussi bien on en doit jouer une nouvelle que je serai bien aise que nous voyions ensemble.

190 **MAGDELON.** Cela n'est pas de refus.

MASCARILLE. Mais je vous demande d'applaudir comme il faut, quand nous serons là ; car je me suis engagé[4] de faire valoir la pièce, et l'auteur m'en est venu prier encore ce matin. C'est la coutume ici qu'à nous autres gens de condition[5] les auteurs viennent lire leurs
195 pièces nouvelles, pour nous engager à les trouver belles, et leur donner de la réputation ; et je vous laisse à penser[6] si, quand nous disons quelque chose, le parterre[7] ose nous contredire. Pour moi, j'y suis fort exact ; et quand j'ai promis à quelque poète, je crie toujours : « Voilà qui est beau ! » devant que[8] les chandelles[9] soient allumées.

---

1. **Le fin [...] le fin du fin :** ce qu'il y a de mieux (gradation de sens hyperbolique ici).
2. **Jeûne effroyable de divertissements :** manque terrible de divertissements.
3. **À la comédie :** au théâtre.
4. **Engagé de :** engagé à.
5. **Gens de condition :** aristocrates.
6. **À penser :** imaginer.
7. **Parterre :** espace réservé au public populaire, entre l'orchestre et le fond du théâtre. Les spectateurs y restent debout pendant la représentation.
8. **Devant que :** avant que.
9. **Chandelles :** chandelles qui éclairent la scène à l'époque.

200 **MAGDELON.** Ne m'en parlez point : c'est un admirable lieu que Paris ; il s'y passe cent choses tous les jours qu'on ignore dans les provinces, quelque spirituelle qu'on puisse être.

CATHOS. C'est assez : puisque nous sommes instruites, nous ferons de notre devoir de nous écrier[1] comme il faut sur tout ce
205 qu'on dira.

MASCARILLE. Je ne sais si je me trompe, mais vous avez toute la mine d'avoir fait quelque comédie.

MAGDELON. Eh, il pourrait être quelque chose de ce que vous dites.

210 **MASCARILLE.** Ah ! ma foi, il faudra que nous la voyions. Entre nous, j'en ai composé une que je veux faire représenter.

CATHOS. Et à quels comédiens la donnerez-vous ?

MASCARILLE. Belle demande ! Aux grands comédiens[2]. Il n'y a qu'eux qui soient capables de faire valoir les choses ; les autres
215 sont des ignorants qui récitent comme l'on parle ; ils ne savent pas faire ronfler les vers, et s'arrêter au bel endroit : et le moyen de connaître où est le beau vers, si le comédien ne s'y arrête, et ne vous avertit par là qu'il faut faire le brouhaha[3] ?

CATHOS. En effet, il y a manière de faire sentir aux auditeurs les
220 beautés d'un ouvrage ; et les choses ne valent que ce qu'on les fait valoir.

MASCARILLE. Que vous semble de ma petite-oie[4] ? La trouvez-vous congruante[5] à l'habit ?

CATHOS. Tout à fait.

225 **MASCARILLE.** Le ruban est bien choisi.

MAGDELON. Furieusement bien. C'est Perdrigeon[6] tout pur.

---

1. **Nous écrier :** exprimer avec force notre admiration.
2. **Grands comédiens :** les comédiens de l'Hôtel de Bourgogne, grands rivaux de Molière.
3. **Faire le brouhaha :** applaudir.
4. **Petite-oie :** accessoires du costume (plumes, rubans, dentelles...).
5. **Congruante :** assortie (mot créé par Molière).
6. **Perdrigeon :** nom d'un mercier très en vogue à l'époque.

MASCARILLE. Que dites-vous de mes canons[1] ?

MAGDELON. Ils ont tout à fait bon air.

MASCARILLE. Je puis me vanter au moins qu'ils ont un grand
230 quartier plus[2] que tous ceux qu'on fait.

MAGDELON. Il faut avouer que je n'ai jamais vu porter si haut
l'élégance de l'ajustement[3].

MASCARILLE. Attachez un peu sur ces gants la réflexion de votre
odorat[4].

235 **MAGDELON.** Ils sentent terriblement bon.

CATHOS. Je n'ai jamais respiré une odeur mieux conditionnée[5].

MASCARILLE. Et celle-là ? *(Il donne à sentir les cheveux poudrés de
sa perruque.)*

MAGDELON. Elle est tout à fait de qualité ; le sublime[6] en est tou-
240 ché délicieusement.

MASCARILLE. Vous ne me dites rien de mes plumes : comment les
trouvez-vous ?

CATHOS. Effroyablement belles.

MASCARILLE. Savez-vous que le brin me coûte un louis d'or[7] ?
245 Pour moi, j'ai cette manie de vouloir donner généralement sur[8]
tout ce qu'il y a de plus beau.

MAGDELON. Je vous assure que nous sympathisons vous et moi[9] :
j'ai une délicatesse furieuse pour tout ce que je porte ; et jusqu'à

---

1. **Canons :** pièces de toile, très larges et souvent ornées de dentelle, qu'on attachait
   au-dessous du genou.
2. **Un grand quartier plus :** plus de trente centimètres de plus (le quartier est une
   unité de mesure).
3. **Ajustement :** toilette.
4. **Attachez [...] odorat :** Mascarille invite Magdelon à sentir le parfum de ses gants.
5. **Mieux conditionnée :** plus parfaite.
6. **Le sublime :** le cerveau (vocabulaire précieux).
7. **Un louis d'or :** somme ici très exagérée.
8. **Donner [...] sur :** jeter mon dévolu sur, choisir.
9. **Nous sympathisons vous et moi :** je suis exactement comme vous.

mes chaussettes[1], je ne puis rien souffrir qui ne soit de la bonne
250 ouvrière[2].

MASCARILLE, *s'écriant brusquement.* Ahi ! ahi ! ahi ! doucement.
Dieu me damne, Mesdames, c'est fort mal en user[3] ; j'ai à me plaindre
de votre procédé ; cela n'est pas honnête.

CATHOS. Qu'est-ce donc ? qu'avez-vous ?

255 **MASCARILLE.** Quoi ? toutes deux contre mon cœur, en même
temps ! m'attaquer à droite et à gauche ! Ah ! c'est contre le
droit des gens[4] ; la partie n'est pas égale ; et je m'en vais crier au
meurtre.

CATHOS. Il faut avouer qu'il dit les choses d'une manière
260 particulière.

MAGDELON. Il a un tour admirable dans l'esprit.

CATHOS. Vous avez plus de peur que de mal, et votre cœur crie
avant qu'on l'écorche.

MASCARILLE. Comment diable ! il est écorché depuis la tête jus-
265 qu'aux pieds.

---

1. **Chaussettes :** bas de toile sans pied que l'on portait sous les bas de soie.
2. **Ouvrière :** fabrication.
3. **En user :** se conduire.
4. **Le droit des gens :** le droit qui régit les relations entre les États.

Yolande Moreau, Lorella Cravotta et Philippe Duquesne
dans la mise en scène de Jérôme Deschamps et Macha Makeieff,
Théâtre National de Bretagne, Rennes, 1997.

Clefs d'analyse

Action et personnages

1. En quelques répliques, Molière esquisse la personnalité de Marotte : quels sont les traits principaux du caractère de cette servante ?

2. De quelles illusions se bercent les deux cousines dans la scène 6 ? Commentez leur empressement à recevoir le « marquis de Mascarille » et le soin qu'elles mettent à être présentables.

3. Qui est Mascarille en réalité ? Que savons-nous de ce personnage et que signifie son arrivée pour l'action ?

4. Faites une remarque sur la longueur de la scène 9. Qu'en déduisez-vous ?

5. Quels sujets de conversation sont successivement abordés dans la scène 9 ? Qui en prend l'initiative ?

6. Montrez que Mascarille obéit au code de la séduction tel que l'a évoqué Magdelon dans la scène 4. À quels indices l'imposture est-elle cependant visible ?

7. Quelles fautes commettent les personnages contre les bonnes manières, alors même que chacun fait assaut de politesse tout au long de la scène 9 ?

8. Que soulignent les réactions de Cathos et de Magdelon aux poses successives que prend le faux marquis ?

Langue

9. Opposez le langage des deux précieuses à celui de Marotte dans la scène 6 : que fait apparaître ce contraste ?

10. Caractérisez le langage du faux marquis et des deux précieuses en citant et en nommant quelques-unes des figures de style qui abondent dans leurs propos.

11. Citez quelques phrases ou expressions par lesquelles les deux jeunes filles trahissent leurs origines provinciales, leur naïveté et leur inexpérience.

Clefs d'analyse   Scènes 6 à 9

Genre ou thèmes

12. Quels ressorts comiques fondamentaux la comédie emprunte-t-elle à la farce à l'entrée de Mascarille dans la scène 7 ?

13. Quels reproches Molière adresse-t-il au théâtre contemporain, notamment à ses concurrents de l'Hôtel de Bourgogne ? Expliquez pourquoi on peut parler ici de satire.

Écriture

14. À travers le personnage de Mascarille, Molière fait la caricature des auteurs prétentieux et sans talent. À votre tour, rédigez un dialogue qui mettra face à face un metteur en scène à la recherche d'une tête d'affiche pour son prochain film et un acteur médiocre qui se prend déjà pour une « star ».

15. Brossez un portrait satirique de Mascarille : vous montrerez le personnage en action et donnerez à voir sa vulgarité, ses prétentions de « bel esprit » et son talent de comédien.

Pour aller plus loin

16. Quelles informations documentaires nous donne cet ensemble de scènes sur la société parisienne du XVIIe siècle : classes sociales, divertissements, relations entre hommes et femmes, code de politesse...

17. D'après les propos de Mascarille, quels genres littéraires sont en vogue chez les précieux ? Donnez-en une définition exacte.

❋ À retenir

Après les scènes d'exposition, un événement capital doit lancer l'action. Ici, l'arrivé de Mascarille, valet déguisé en marquis pour mieux accomplir la vengeance des deux jeunes aristocrates évincés, fait office de ressort dramatique. Ce personnage, qui, face à Cathos et Magdelon, fait assaut de galanterie, permet aussi à Molière d'enrichir la satire de la préciosité.

Scène 10 MAROTTE, MAGDELON, MASCARILLE, CATHOS.

MAROTTE. Madame, on demande à vous voir.

MAGDELON. Qui ?

MAROTTE. Le vicomte de Jodelet.

MASCARILLE. Le vicomte de Jodelet ?

5 **MAROTTE.** Oui, Monsieur.

CATHOS. Le connaissez-vous ?

MASCARILLE. C'est mon meilleur ami.

MAGDELON. Faites entrer vitement.

MASCARILLE. Il y a quelque temps que nous ne nous sommes

10 vus, et je suis ravi de cette aventure.

CATHOS. Le voici.

Scène 11 MASCARILLE, JODELET, CATHOS, MAGDELON, MAROTTE, ALMANZOR.

MASCARILLE. Ah ! vicomte !

JODELET, *s'embrassant[1] l'un l'autre.* Ah ! marquis !

MASCARILLE. Que je suis aise de te rencontrer !

JODELET. Que j'ai de joie de te voir ici !

5 **MASCARILLE.** Baise-moi[2] donc encore un peu, je te prie.

---

1. **S'embrassant :** se serrant dans les bras l'un de l'autre.
2. **Baise-moi :** embrasse-moi.

MAGDELON, *à Cathos*. Ma toute bonne, nous commençons d'être connues ; voilà le beau monde qui prend le chemin de nous venir voir.

MASCARILLE. Mesdames, agréez que je vous présente ce gentil-
10 homme-ci : sur ma parole, il est digne d'être connu de vous.

JODELET. Il est juste de venir vous rendre ce qu'on vous doit ; et vos attraits exigent leurs droits seigneuriaux[1] sur toutes sortes de personnes.

MAGDELON. C'est pousser vos civilités[2] jusqu'aux derniers confins[3]
15 de la flatterie.

CATHOS. Cette journée doit être marquée dans notre almanach[4] comme une journée bienheureuse.

MAGDELON, *à Almanzor*. Allons, petit garçon[5], faut-il toujours vous répéter les choses ? Voyez-vous pas qu'il faut le surcroît d'un
20 fauteuil[6] ?

MASCARILLE. Ne vous étonnez pas de voir le Vicomte de la sorte ; il ne fait que sortir d'une maladie qui lui a rendu le visage pâle[7] comme vous le voyez.

JODELET. Ce sont fruits des veilles de la cour et des fatigues de la
25 guerre.

MASCARILLE. Savez-vous, Mesdames, que vous voyez dans le Vicomte un des plus vaillants hommes du siècle ? C'est un brave à trois poils[8].

---

1. **Droits seigneuriaux :** droits des seigneurs sur leurs vassaux dans la société du Moyen Âge. Ici, Jodelet suggère que les deux jeunes précieuses, par leurs qualités exceptionnelles, ont des droits particuliers.
2. **Vos civilités :** votre politesse.
3. **Jusqu'aux derniers confins :** jusqu'aux dernières extrémités.
4. **Almanach :** calendrier ou agenda.
5. **Petit garçon :** les laquais étaient généralement de jeunes garçons. Ici, l'expression est comique car le rôle d'Almanzor était tenu par l'acteur De Brie, un homme très imposant.
6. **Le surcroît d'un fauteuil :** un fauteuil supplémentaire.
7. **Visage pâle :** l'acteur Jodelet jouait le visage enfariné.
8. **Brave à trois poils :** de très grande bravoure (le velours à trois poils était de qualité supérieure).

JODELET. Vous ne m'en devez rien[1], Marquis ; et nous savons ce
30 que vous savez faire aussi.

MASCARILLE. Il est vrai que nous nous sommes vus[2] tous deux
dans l'occasion[3].

JODELET. Et dans des lieux où il faisait fort chaud.

MASCARILLE, *regardant Cathos et Magdelon.* Oui ; mais non pas si
35 chaud qu'ici. Hay, hay, hay !

JODELET. Notre connaissance s'est faite à l'armée ; et la première
fois que nous nous vîmes, il commandait un régiment de cavalerie
sur les galères de Malte[4].

MASCARILLE. Il est vrai ; mais vous étiez pourtant dans l'emploi
40 avant que j'y fusse ; et je me souviens que je n'étais que petit officier[5] encore, que[6] vous commandiez deux mille chevaux[7].

JODELET. La guerre est une belle chose ; mais, ma foi, la cour
récompense bien mal aujourd'hui les gens de service[8] comme nous.

MASCARILLE. C'est ce qui fait que je veux pendre l'épée au croc[9].

45 **CATHOS.** Pour moi, j'ai un furieux tendre[10] pour les hommes
d'épée.

MAGDELON. Je les aime aussi ; mais je veux que l'esprit assaisonne
la bravoure[11].

---

1. **Vous ne m'en devez rien :** vous ne me le cédez en rien, vous êtes aussi brave
   que moi.
2. **Vus :** rencontrés.
3. **Dans l'occasion :** lors d'une bataille.
4. **Les galères de Malte :** l'ordre militaire de Malte luttait en Méditerranée contre les
   Turcs. La mention de la cavalerie sur des galères a une visée comique. Peut-être
   les deux compères se sont-ils rencontrés sur les galères du roi, où les rameurs
   étaient des individus condamnés par la justice.
5. **Petit officier :** officier de base.
6. **Que :** alors que.
7. **Chevaux :** cavaliers (métonymie).
8. **Gens de service :** militaires au service du roi. Cette expression désigne aussi les
   domestiques.
9. **Pendre l'épée au croc :** renoncer à la carrière militaire (sens figuré).
10. **Un furieux tendre :** une tendresse particulière.
11. **L'esprit assaisonne la bravoure :** l'intelligence accompagne le courage.

MASCARILLE. Te souvient-il, Vicomte, de cette demi-lune[1] que
50 nous emportâmes sur les ennemis au siège d'Arras[2] ?

JODELET. Que veux-tu dire avec ta demi-lune ? C'était bien une
lune tout entière.

MASCARILLE. Je pense que tu as raison.

JODELET. Il m'en doit bien souvenir, ma foi : j'y fus blessé à la
55 jambe d'un coup de grenade, dont je porte encore les marques.
Tâtez un peu, de grâce, vous sentirez quelque coup, c'était là.

CATHOS, *après avoir touché l'endroit.* Il est vrai que la cicatrice est
grande.

MASCARILLE. Donnez-moi un peu votre main, et tâtez celui-ci, là,
60 justement au derrière de la tête : y êtes-vous ?

MAGDELON. Oui : je sens quelque chose.

MASCARILLE. C'est un coup de mousquet[3] que je reçus la[4] dernière campagne que j'ai faite.

JODELET, *découvrant sa poitrine.* Voici un autre coup qui me perça
65 de part en part à l'attaque de Gravelines[5].

MASCARILLE, *mettant la main sur le bouton de son haut-de-chausses.*
Je vais vous montrer une furieuse plaie.

MAGDELON. Il n'est pas nécessaire : nous le croyons sans y
regarder.

70 **MASCARILLE.** Ce sont des marques honorables qui font voir ce
qu'on est.

CATHOS. Nous ne doutons point de ce que vous êtes.

MASCARILLE. Vicomte, as-tu là ton carrosse ?

JODELET. Pourquoi ?

---

1. **Demi-lune :** fortification construite en forme de demi-cercle.
2. **Siège d'Arras :** en 1640, Arras avait été reprise aux Espagnols.
3. **Mousquet :** arme à feu que l'on actionne à l'aide d'une mèche allumée (ancêtre du
fusil).
4. **La :** durant la.
5. **L'attaque de Gravelines :** Gravelines avait été prise aux Espagnols une première
fois en 1644, puis en 1658.

75 **MASCARILLE.** Nous mènerions promener ces Dames hors des portes[1], et leur donnerions un cadeau[2].

MAGDELON. Nous ne saurions sortir aujourd'hui.

MASCARILLE. Ayons donc les violons pour danser.

JODELET. Ma foi, c'est bien avisé[3].

80 **MAGDELON.** Pour cela, nous y consentons ; mais il faut donc quelque surcroît de compagnie[4].

MASCARILLE. Holà ! Champagne, Picard, Bourguignon, Casquaret, Basque, la Verdure, Lorrain, Provençal, la Violette[5] ! Au diable soient tous les laquais ! Je ne pense pas qu'il y ait gentilhomme en 85 France plus mal servi que moi. Ces canailles me laissent toujours seul.

MAGDELON. Almanzor, dites aux gens[6] de Monsieur qu'ils aillent quérir des violons[7], et nous faites venir[8] ces Messieurs et ces Dames d'ici près, pour peupler la solitude de notre bal.

90 *(Almanzor sort.)*

MASCARILLE. Vicomte, que dis-tu de ces yeux ?

JODELET. Mais toi-même, Marquis, que t'en semble ?

MASCARILLE. Moi, je dis que nos libertés auront peine à sortir d'ici les braies nettes[9]. Au moins, pour moi, je reçois d'étranges 95 secousses, et mon cœur ne tient plus qu'à un filet[10].

MAGDELON. Que tout ce qu'il dit est naturel ! Il tourne les choses le plus agréablement du monde.

---

1. **Hors des portes :** hors de Paris (la ville était alors fermée par des portes).
2. **Cadeau :** divertissement (partie de campagne, goûter, concert...) offert aux dames.
3. **C'est bien avisé :** c'est un bon conseil.
4. **Quelque surcroît de compagnie :** d'autres invités.
5. **Champagne [...] la Violette :** les laquais portent habituellement le nom de leur province d'origine. Ils peuvent aussi recevoir un surnom comme « la Violette ».
6. **Gens :** serviteurs.
7. **Quérir des violons :** chercher des violonistes.
8. **Nous faites venir :** faites-nous venir.
9. **Les braies nettes :** plaisanterie grossière faisant allusion à la colique qui saisit au combat les jeunes soldats que la peur terrorise.
10. **À un filet :** à un petit fil.

CATHOS. Il est vrai qu'il fait une furieuse dépense en esprit.

MASCARILLE. Pour vous montrer que je suis véritable[1], je veux
100 faire un impromptu[2] là-dessus. *(Il médite.)*

CATHOS. Eh ! je vous en conjure de toute la dévotion[3] de mon
cœur : que nous oyions[4] quelque chose qu'on ait fait pour nous.

JODELET. J'aurais envie d'en faire autant ; mais je me trouve un
peu incommodé de la veine poétique[5], pour[6] la quantité des sai-
105 gnées[7] que j'y ai faites ces jours passés.

MASCARILLE. Que diable est cela ? Je fais toujours bien le premier
vers ; mais j'ai peine à faire les autres. Ma foi, ceci est un peu trop
pressé : je vous ferai un impromptu à loisir[8], que vous trouverez le
plus beau du monde.

110 **JODELET.** Il a de l'esprit comme un démon.

MAGDELON. Et du galant, et du bien tourné[9].

MASCARILLE. Vicomte, dis-moi un peu, y a-t-il longtemps que tu
n'as vu la Comtesse ?

JODELET. Il y a plus de trois semaines que je ne lui ai rendu visite.

115 **MASCARILLE.** Sais-tu bien que le Duc m'est venu voir ce matin, et
m'a voulu mener à la campagne courir[10] un cerf avec lui ?

MAGDELON. Voici nos amies qui viennent.

---

1. **Véritable :** sincère.
2. **Impromptu :** court poème improvisé.
3. **Dévotion :** ardeur.
4. **Oyions :** verbe « ouïr » (entendre) dont l'emploi dépassé trahit les origines provinciales de Cathos qui croit user ici du langage à la mode.
5. **Incommodé de la veine poétique :** privé d'inspiration poétique.
6. **Pour :** en raison de.
7. **Saignées :** Jodelet, jouant sur le mot « veine », explique qu'il a extrait de lui-
même tout ce qu'il pouvait pour trouver l'inspiration.
8. **À loisir :** en prenant mon temps (alors que le propre de l'impromptu était justement d'être improvisé).
9. **Du bien tourné :** de l'élégance dans l'expression.
10. **Courir :** poursuivre dans le cadre d'une chasse à courre, avec des chiens.

Dessin à la plume et au lavis de François Boucher, XVIIIᵉ siècle.
Bibliothèque nationale de France, Paris.

Scène 12 Jodelet, Mascarille, Cathos, Magdelon, Marotte, Lucile, Célimène, Almanzor, Violons.

Magdelon. Mon Dieu, mes chères, nous vous demandons pardon. Ces Messieurs ont eu fantaisie de nous donner les âmes des pieds[1] ; et nous vous avons envoyé quérir pour remplir les vides de notre assemblée.

5 **Lucile.** Vous nous avez obligées, sans doute[2].

Mascarille. Ce n'est ici qu'un bal à la hâte ; mais l'un de ces jours nous vous en donnerons un dans les formes. Les violons sont-ils venus ?

Almanzor. Oui, Monsieur, ils sont ici.

10 **Cathos.** Allons donc, mes chères, prenez place.

Mascarille, *dansant lui seul comme par prélude.* La, la, la, la, la, la, la, la.

Magdelon. Il a tout à fait la taille élégante.

Cathos. Et a la mine de danser proprement[3].

15 **Mascarille,** *ayant pris Magdelon pour danser.* Ma franchise va danser la courante aussi bien que mes pieds[4]. En cadence, violons, en cadence. Oh ! quels ignorants ! Il n'y a pas moyen de danser avec eux. Le diable vous emporte ! ne sauriez-vous jouer en mesure ? La, la, la, la, la, la, la, la. Ferme[5], ô violons de village.

20 **Jodelet,** *dansant ensuite.* Holà ! ne pressez pas si fort la cadence : je ne fais que sortir de maladie.

---

1. **Les âmes des pieds :** les violons, en langage précieux (ils animent les pieds des danseurs).
2. **Vous nous avez obligées, sans doute :** vous nous avez rendu un service, fait une grâce, n'en doutez pas.
3. **Proprement :** convenablement.
4. **Ma franchise [...] mes pieds :** phrase précieuse qui associe un terme abstrait (franchise) à un terme concret (pieds) pour dire « je vais succomber aux charmes de ma partenaire ». La courante était une danse aristocratique en vogue à la cour.
5. **Ferme :** avec fermeté.

Clefs d'analyse

Scènes 10 à 12

Action et personnages

1. Résumez cet ensemble de scènes. À quoi sert véritablement la scène 10 ?

2. « Ma toute bonne, nous commençons d'être connues » s'enchante Magdelon (sc. 11, l. 6-7) : quel trait de caractère affiche la jeune fille ?

3. Qui est Jodelet ? Comparez son entrée en scène avec celle de Mascarille dans la scène 7.

4. Qui de Mascarille ou de Jodelet mène le jeu dans la scène 11 ? Sur quels sujets porte tour à tour la conversation ?

5. Repérez les incohérences et les inventions des deux complices dans leur numéro de séduction. Pourquoi Cathos et Magdelon ne perçoivent-elles pas l'imposture ? Comment réagissent-elles ?

6. Montrez la vulgarité de Jodelet dans la scène 11. Commentez les réactions des deux jeunes filles.

Langue

7. Comparez les quatre premières répliques de la scène 11 : que remarquez-vous ? Quel est l'effet créé ?

8. Analysez une ou deux répliques particulièrement comiques dans les scènes 11 et 12 : sur quels termes ou constructions se fonde le comique de mots ?

Genre ou thèmes

9. Repérez les passages relevant d'un comique de geste particulièrement grossier, emprunté à la panoplie de la farce : que font-ils apparaître chez les personnages ? Qui interrompt cette veine comique ? Pourquoi ?

10. « Nous ne doutons point de ce que vous êtes » (sc. 11, l. 72) : en quoi cette réplique est-elle particulièrement comique ? Quel thème nourrit-elle ?

Clefs d'analyse

11. « Au diable soient tous les laquais » s'exclame Mascarille (sc. 11, l. 83-84) : expliquez la valeur comique de cette remarque dans la bouche de Mascarille.

Écriture

12. « Ma toute bonne, nous commençons d'être connues » s'enchante Magdelon (sc. 11, l. 6-7) : aimeriez-vous être célèbre ? Expliquez votre point de vue dans un développement d'une page où vos arguments proprement dits s'appuieront sur des exemples empruntés à l'actualité.

13. Qui est ridicule dans cet ensemble de scènes ? Vous prendrez soin d'asseoir votre opinion sur une analyse sérieuse des caractères, des situations et du langage.

Pour aller plus loin

14. En vous aidant d'Internet ou d'un dictionnaire des noms propres, expliquez qui est Jodelet, l'acteur qui a donné son nom au complice de Mascarille dans *Les Précieuses ridicules*.

15. Les deux complices veulent offrir « un cadeau » aux jeunes précieuses. Que signifie cette expression à l'époque ? Quels divertissements un homme amoureux pourrait-il aujourd'hui proposer à la femme qu'il courtise ?

> ✳ **À retenir**
>
> Une fois l'action lancée, il faut maintenir l'intérêt du spectateur soit par une péripétie, soit par l'intervention d'un nouveau personnage.
> Avec l'entrée de Jodelet, la puissance comique de la farce s'accentue tandis que le suspense grandit. Le spectateur se demande jusqu'à quel moment l'imposture va pouvoir durer, dans quelles circonstances la vérité va éclater, et quelle sera alors la réaction des deux précieuses.

Scène 13
Du Croisy, La Grange,
Mascarille, Jodelet, Cathos,
Magdelon, Lucile, Célimène,
Marotte, Violons.

La Grange, *un bâton à la main*. Ah ! ah ! coquins, que faites-vous ici ? Il y a trois heures que nous vous cherchons.

Mascarille, *se sentant battre*. Ahy ! ahy ! ahy ! vous ne m'aviez pas dit que les coups en seraient aussi[1].

5 **Jodelet.** Ahy ! ahy ! ahy !

La Grange. C'est bien à vous, infâme que vous êtes, à vouloir faire l'homme d'importance.

Du Croisy. Voilà qui vous apprendra à vous connaître[2].

(Ils sortent.)

Scène 14
Mascarille, Jodelet, Cathos,
Magdelon, Lucile, Célimène,
Marotte, Violons.

Magdelon. Que veut donc dire ceci ?

Jodelet. C'est une gageure[3].

Cathos. Quoi ! vous laisser battre de la sorte !

---

1. **Que les coups en seraient aussi :** que notre fourberie inclurait des coups de bâton.
2. **Vous connaître :** savoir qui vous êtes.
3. **Gageure :** pari.

MASCARILLE. Mon Dieu, Je n'ai pas voulu faire semblant de rien[1] ; car je suis violent, et je me serais emporté.

MAGDELON. Endurer un affront comme celui-là, en notre présence !

MASCARILLE. Ce n'est rien : ne laissons pas d'achever[2]. Nous nous connaissons il y a longtemps ; et entre amis, on ne va pas se piquer pour si peu de chose.

Scène 15

Du Croisy, La Grange,
Mascarille, Jodelet, Magdelon,
Cathos, Lucile, Célimène,
Marotte, Violons, Spadassins.

LA GRANGE. Ma foi, marauds, vous ne vous rirez pas de nous, je vous promets. Entrez, vous autres.
(Trois ou quatre spadassins entrent.)

MAGDELON. Quelle est donc cette audace, de venir nous troubler de la sorte dans notre maison ?

DU CROISY. Comment, Mesdames, nous endurerons que nos laquais soient mieux reçus que nous ? qu'ils viennent vous faire l'amour[3] à nos dépens et vous donnent le bal ?

MAGDELON. Vos laquais ?

LA GRANGE. Oui, nos laquais : et cela n'est ni beau ni honnête de nous les débaucher[4] comme vous faites.

MAGDELON. Ô Ciel ! quelle insolence !

---

1. **Faire semblant de rien :** réagir.
2. **Ne laissons pas d'achever :** que cet incident ne nous empêche pas de continuer.
3. **Faire l'amour :** faire la cour.
4. **Les débaucher :** les corrompre, leur faire oublier leur fonction de domestique.

LA GRANGE. Mais ils n'auront pas l'avantage de se servir de nos habits pour vous donner dans la vue[1] ; et si vous les voulez aimer, 15 ce sera, ma foi, pour leurs beaux yeux. Vite, qu'on les dépouille sur-le-champ.

JODELET. Adieu notre braverie[2].

MASCARILLE. Voilà le marquisat et la vicomté à bas[3].

DU CROISY. Ha ! ha ! coquins, vous avez l'audace d'aller sur nos 20 brisées[4] ! Vous irez chercher autre part de quoi vous rendre agréables aux yeux de vos belles, je vous en assure.

LA GRANGE. C'est trop que de nous supplanter[5], et de nous supplanter avec nos propres habits.

MASCARILLE. Ô fortune[6] ! quelle est ton inconstance !

25 **DU CROISY.** Vite, qu'on leur ôte jusqu'à la moindre chose.

LA GRANGE. Qu'on emporte toutes ces hardes[7], dépêchez. Maintenant, Mesdames, en l'état qu'ils sont, vous pouvez continuer vos amours avec eux tant qu'il vous plaira ; nous vous laissons toute sorte de liberté pour cela, et nous vous protestons[8], Monsieur 30 et moi, que nous n'en serons aucunement jaloux.

CATHOS. Ah ! quelle confusion !

MAGDELON. Je crève de dépit.

VIOLONS, *au Marquis.* Qu'est-ce donc que ceci ? Qui nous payera, nous autres ?

35 **MASCARILLE.** Demandez à Monsieur le Vicomte.

VIOLONS, *au Vicomte.* Qui est-ce qui nous donnera de l'argent ?

JODELET. Demandez à Monsieur le Marquis.

---

1. **Vous donner dans la vue :** vous éblouir.
2. **Braverie :** élégance vestimentaire.
3. **À bas :** jetés à bas, détruits.
4. **Aller sur nos brisées :** entrer en concurrence avec nous.
5. **Supplanter :** évincer, déposséder.
6. **Fortune :** ici, le sort.
7. **Hardes :** vêtements.
8. **Protestons :** assurons.

Scène 16 GORGIBUS, MAGDELON, MASCARILLE, JODELET, CATHOS, VIOLONS.

GORGIBUS. Ah ! coquines que vous êtes, vous nous mettez dans de beaux draps blancs, à ce que je vois ! et je viens d'apprendre de belles affaires, vraiment, de ces Messieurs qui sortent !

MAGDELON. Ah ! mon père, c'est une pièce sanglante[1] qu'ils nous ont faite.

GORGIBUS. Oui, c'est une pièce sanglante, mais qui est un effet de votre impertinence, infâmes ! Ils se sont ressentis[2] du traitement que vous leur avez fait ; et cependant, malheureux que je suis, il faut que je boive l'affront.

MAGDELON. Ah ! je jure que nous en serons vengées, ou que je mourrai en la peine[3]. Et vous, marauds, osez-vous vous tenir ici après votre insolence ?

MASCARILLE. Traiter comme cela un marquis ! Voilà ce que c'est que du monde ! la moindre disgrâce nous fait mépriser de ceux qui nous chérissaient. Allons, camarade, allons chercher fortune autre part : je vois bien qu'on n'aime ici que la vaine apparence, et qu'on n'y considère point la vertu toute nue[4].
(Ils sortent tous deux.)

---

1. **Une pièce sanglante :** une farce sinistre.
2. **Ils se sont ressentis :** ils vous en ont voulu, ils ont éprouvé du ressentiment.
3. **Je mourrai en la peine :** j'irai jusqu'à mourir pour me venger.
4. **La vertu toute nue :** le seul mérite.

Scène 17 GORGIBUS, MAGDELON, CATHOS, VIOLONS.

VIOLONS. Monsieur, nous entendons[1] que vous nous contentiez[2] à leur défaut[3] pour ce que nous avons joué ici.

GORGIBUS, *les battant.* Oui, oui, je vous vais contenter, et voici la monnaie dont je vous veux payer. Et vous, pendardes, je ne sais
5 qui me tient[4] que je ne vous en fasse autant. Nous allons servir de fable et de risée à tout le monde, et voilà ce que vous vous êtes attiré par vos extravagances. Allez vous cacher, vilaines[5] ; allez vous cacher pour jamais. Et vous, qui êtes cause de leur folie, sottes billevesées[6], pernicieux[7] amusements des esprits oisifs, romans,
10 vers, chansons, sonnets et sonnettes[8], puissiez-vous être à tous les diables !

open-ended

---

1. **Entendons :** exigeons.
2. **Contentiez :** payiez.
3. **À leur défaut :** à leur place.
4. **Tient :** retient.
5. **Vilaines :** affreuses créatures.
6. **Billevesées :** idées chimériques.
7. **Pernicieux :** nuisibles.
8. **Sonnettes :** ici, jeu de mots. « Sonnettes » fait penser à « sornettes », qui signifie « inepties », « sottises ».

Clefs d'analyse

Action et personnages

1. Par quel contraste Molière ménage-t-il un effet de surprise entre les scènes 12 et 13 ?

2. Que marque la brièveté des scènes 13 et 14 dans la progression de la pièce ?

3. Pourquoi peut-on parler ici de « coup de théâtre » ?

4. Repérez les deux répliques dans lesquelles les deux valets renoncent à leurs rôles. Pourquoi sont-elles comiques ?

Langue

5. Quels sentiments expriment Magdelon et Cathos dans la scène 14 ? Appuyez-vous sur la syntaxe pour répondre. Quel changement de ton observez-vous par rapport aux scènes précédentes ?

6. « Voilà qui vous apprendra à vous connaître » dit Du Croisy dans la scène 13 (l. 8). Retrouvez, dans la scène 7, cette même phrase que Mascarille adressait alors au porteur : quelle idée essentielle développe-t-elle ?

7. « Confusion », « dépit » (sc. 15, l. 31-32) : expliquez l'état d'esprit des deux cousines.

8. Dans les scènes 16 et 17, commentez la réaction de Gorgibus, en vous fondant notamment sur son vocabulaire.

Genre ou thèmes

9. Montrez que la scène 13 s'inscrit dans la pure tradition de la farce.

10. À la fin de la scène 15, les violons demandent à être payés. Retrouvez dans une scène antérieure une situation sensiblement identique : que suggère la reprise de ce thème sur les rapports entre l'aristocratie et ses serviteurs ?

11. Quelle idée exprime la dernière réplique de Mascarille dans la scène 16 ? Sur quoi porte ici la satire ?

Écriture

12. « Ô fortune ! quelle est ton inconstance ! » s'écrie Mascarille
dans la scène 15 (l. 24) : après avoir clarifié le sens du mot
« fortune » au xviie siècle, développez cette réplique sous la forme
d'une longue tirade dans laquelle Mascarille évoquera son passé
et son avenir.

13. Que pensez-vous de la conduite de La Grange et Du Croisy dans
le dénouement ? Leur violence vis-à-vis des valets vous semble-
t-elle juste ? Les paroles blessantes qu'ils adressent
aux précieuses vous paraissent-elles fondées ? Développez
votre réponse dans une argumentation où vous favoriserez
l'emploi des phrases complexes.

14. En quelques lignes, proposez une définition de la préciosité
ridicule. Vous vous fonderez sur votre lecture de la pièce.

Pour aller plus loin

15. Dans *Les Précieuses ridicules*, Molière fait la satire de la préciosité.
Sur quoi porte la satire dans les pièces de Molière que vous avez
étudiées comme *L'Avare, Le Bourgeois gentilhomme* ou le *Malade
imaginaire* ?

✳ À retenir

Le dénouement est un moment clé où se conclut
une pièce de théâtre : c'est là que tombent les masques
et que tous les problèmes trouvent leur solution. Dans
ces dernières scènes des *Précieuses*, la vérité éclate sous
la forme d'un coup de théâtre. Les faux prétendants sont
démystifiés, et les jeunes filles, punies dans leur vanité.
La satire a bien fonctionné : elle a mis en évidence
les défauts d'une société tout en faisant rire le public.

L'auteur et la pièce

1. Vrai ou faux ?

- Molière a écrit *Les Précieuses* à l'âge de 32 ans.
  - ☐ Vrai ☐ Faux
- Molière a d'abord présenté *Les Précieuses* à Lyon.
  - ☐ Vrai ☐ Faux
- Molière a changé deux fois le titre de sa pièce.
  - ☐ Vrai ☐ Faux
- Molière a écrit sa pièce sur ordre du roi.
  - ☐ Vrai ☐ Faux
- La pièce a lancé la carrière de Molière à Paris.
  - ☐ Vrai ☐ Faux

2. Molière a vécu sous le règne de :

- ☐ François Ier.
- ☑ Louis XIV.
- ☐ Mazarin.
- ☐ Richelieu.
- ☐ Colbert.

3. Dans *Les Précieuses*, Molière joue le rôle de :

- ☐ La Grange.
- ☐ Du Croisy.
- ☐ Gorgibus.
- ☑ Mascarille.
- ☐ Jodelet.

4. Repérez et soulignez une inexactitude.

Dans *Les Précieuses ridicules*, Molière s'inspire de la réalité de son siècle. En proposant une satire des salons mondains de l'époque, il met en évidence les excès de la préciosité, courant lancé par des femmes très en vue, comme la marquise de Rambouillet et mademoiselle de Scudéry. Fondée sur la galanterie, la préciosité édifie un code de conduite et crée un langage qui exploite toutes les ressources de la politesse, du raffinement et de la délicatesse. Ses outrances sont pour Molière une source de comique. Il les met en scène à travers les personnages de Cathos et de Magdelon, deux jeunes provinciales qui s'amusent à jouer les Parisiennes à la mode sans se prendre au sérieux.

Le genre

1. Avec *Les Précieuses ridicules*, Molière compose :
- ☐ une comédie en vers.
- ☐ une comédie en prose poétique.
- ☑ une comédie en prose.
- ☑ une comédie en un acte.
- ☐ une comédie-ballet.

2. *Les Précieuses ridicules* sont une pièce en :
- ☑ un acte.
- ☐ deux actes.
- ☐ treize scènes.
- ☐ quinze scènes.
- ☑ dix-sept scènes.

3. La comédie des *Précieuses* emprunte de nombreux traits aux genres de :
- ☑ la farce.
- ☐ la comédie-ballet.
- ☐ la tragi-comédie.
- ☐ la comédie héroïque.
- ☑ la commedia dell'arte.

4. Faites correspondre à l'aide d'une flèche ces mots avec leur définition correcte, puis indiquez, en les soulignant, les procédés qui entrent dans la composition des *Précieuses ridicules*.

1. La satire   •   • a) Imitation burlesque d'une forme de discours ou d'un genre littéraire.

2. La caricature •   • b) Procédé qui consiste à tourner en dérision certains défauts de la société pour mieux les corriger.

3. La parodie   •   • c) Grossissement des traits d'une personne ou des caractéristiques d'une situation pour en rendre plus visibles les défauts.

 **L'action**

1. Dans quelles scènes Mascarille apparaît-il ?

☐ Scène 2. ☑ Scène 6. ☑ Scène 9.
☑ Scène 11. ☐ Scène 17.

2. Retrouvez la chronologie des événements en les numérotant de 1 à 8.

3 Marotte annonce l'arrivée du « vicomte » de Jodelet.

4 Mascarille éblouit les deux précieuses en faisant le bel esprit.

2 Gorgibus et les deux précieuses échangent leur conception du mariage.

1 La Grange et Du Croisy décident de venger l'affront que leur ont fait subir Cathos et Magdelon.

7 Les deux précieuses sont humiliées et mortifiées de s'être fait prendre au jeu des faux marquis.

5 Mascarille et Jodelet charment les jeunes filles par leurs fanfaronnades.

6 Les deux vrais marquis arrivent et bâtonnent les faux prétendants.

8 Gorgibus maudit la littérature et s'emporte contre Cathos et Magdelon.

3. Soulignez les erreurs.

Dans la scène 1, La Grange et Du Croisy sont en colère : ils viennent d'être éconduits par Cathos et Magdelon, deux « pecques provinciales » arrivées à Paris avec le projet de se faire connaître de la bonne société. Pendant toute la durée de leur visite, les jeunes filles n'ont pas arrêté de bâiller et de se frotter les yeux pour montrer leur ennui. <u>Du Croisy</u> est le plus scandalisé des deux. Quand il prend l'initiative d'une vengeance, La Grange hésite dans un premier temps, car il trouve des excuses aux deux jeunes filles. Puis, après réflexion, il décide qu'elles doivent être punies pour leur arrogance et leur attitude insultante. Il propose alors d'utiliser les talents de son valet Mascarille pour leur donner une bonne leçon. Ensemble, les deux amis mettent au point une stratégie destinée à les venger de l'affront qu'ils ont subi.

Avez-vous bien lu ?

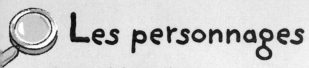

Les personnages

1. Choisissez la bonne réponse.

- La Grange est :
  - ☐ un jeune aristocrate.
  - ☐ un jeune bourgeois.
- Gorgibus est :
  - ☑ un bourgeois.
  - ☐ un aristocrate.
- Cathos est :
  - ☐ la fille de Gorgibus.
  - ☑ la nièce de Gorgibus.
- Mascarille est :
  - ☑ le valet de La Grange.
  - ☐ le valet de Du Croisy.
- Marotte est :
  - ☑ la servante des précieuses.
  - ☐ la servante de Gorgibus.

2. Quel personnage est désigné dans chacun de ces portraits ?

- « c'est un ambigu de précieuse et de coquette que leur personne »
  (scène 1) ....
- « C'est un extravagant qui s'est mis dans la tête de vouloir faire
  l'homme de condition » (scène 1) ..... *Mascarille*
- « que son intelligence est épaisse et qu'il fait sombre dans
  son âme ! » (scène 5) ..... *Gorgibus*
- « C'est un brave à trois poils » (scène 11) ..... *Jodelet*
- « Il a de l'esprit comme un démon » (scène 11) ....

3. Quel personnage prononce les phrases suivantes ?

- « Il n'y a rien à meilleur marché que le bel esprit maintenant »
  (scène 1) ....
- « Le mariage est une chose sainte et sacrée » (scène 4) ....
- « Je trouve le mariage une chose tout à fait choquante » (scène 4)
  ....
- « Les gens de qualité savent tout sans avoir jamais rien appris »
  (scène 9) ....
- « Ô fortune ! quelle est ton inconstance ! » (scène 15) ....
- « je vois bien qu'on n'aime ici que la vaine apparence, et qu'on n'y
  considère point la vertu toute nue » (scène 16) ....

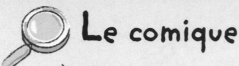 **Le comique**

1. À quel type de comique se rattachent les épisodes suivants ?

1. Les deux précieuses rejettent leurs origines bourgeoises et imaginent une naissance plus illustre (scène 5).

2. Marotte dit qu'elle ne comprend pas « le latin » et qu'« il faut parler chrétien » (scène 6).

3. Mascarille donne un soufflet au porteur (scène 7).

4. La Grange et Du Croisy interrompent soudainement le bal improvisé par Mascarille (scène 13).

comique de gestes	comique de mots	comique de caractère	comique de situation
7			

2. La satire porte-t-elle sur :
- la famille ?   ☐ Oui   ☐ Non
- la noblesse ?   ☐ Oui   ☐ Non
- la bourgeoisie ?   ☐ Oui   ☐ Non
- les serviteurs ?   ☐ Oui   ☐ Non
- les maris ?   ☐ Oui   ☐ Non
- l'amour ?   ☐ Oui   ☐ Non

3. Les répliques suivantes appartiennent-elles au comique de mots ?
- La Grange : « L'air précieux n'a pas seulement infecté Paris, il s'est aussi répandu dans les provinces » (scène 1)
  ☐ Oui   ☐ Non
- Gorgibus : « Il est bien nécessaire vraiment de faire tant de dépense pour vous graisser le museau. » (scène 4)
  ☐ Oui   ☐ Non
- Magdelon : « Vite, venez nous tendre ici dedans le conseiller des grâces » (scène 6)   ☐ Oui   ☐ Non

Les grands thèmes

1. La préciosité désigne-t-elle :
- ☐ un courant mondain du XVIIᵉ siècle ?
- ☐ une affectation du langage et des manières au XVIIᵉ siècle ?
- ☐ la richesse de la noblesse au XVIIᵉ siècle ?

**2. Soulignez les thèmes qui n'apparaissent pas dans
Les Précieuses ridicules.**

> *L'amitié – la relation maître-valet – la relation père-fille –
> le mariage – la vanité – la galanterie – le faux savoir –
> la liberté – la coquetterie – l'art – l'élégance –
> l'argent – la séduction – l'hypocrisie – le pouvoir*

3. Rattachez chaque réplique au thème qu'elle illustre.

> *La coquetterie – le mariage – la relation père-fille – la préciosité*

• Cathos : « Comment est-ce qu'on peut souffrir la pensée de coucher contre un homme vraiment nu ? » (scène 4) ....

• Cathos : « Mon Dieu ! ma chère, que ton père a la forme enfoncée dans la matière ! que son intelligence est épaisse et qu'il fait sombre dans son âme ! (scène 5) ....

• Magdelon : « Ajustons un peu nos cheveux au moins, et soutenons notre réputation. Vite, venez nous tendre ici dedans le conseiller des grâces » (scène 6) ....

• Cathos : « Mais de grâce, Monsieur, ne soyez pas inexorable à ce fauteuil qui vous tend les bras il y a un quart d'heure ; contentez un peu l'envie qu'il a de vous embrasser ». (scène 9) ....

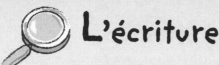# L'écriture

1. Traduisez en français actuel les termes soulignés.

• Magdelon : « Cela me fait honte de vous <u>ouïr</u> parler de la sorte » (scène 4) ....

• Magdelon : « un <u>amant</u> [...] cache un temps sa passion à l'objet aimé » (scène 4) ....

• Marotte : « Dame ! <u>je n'entends point</u> le latin » (scène 6) ....

• Premier porteur : « Je dis que je veux avoir de l'argent <u>tout à l'heure</u> » (scène 7) ....

• Mascarille : « Pour moi, <u>je tiens que</u> hors de Paris, il n'y a point de salut pour <u>les honnêtes gens</u> » (scène 9) ....

2. Traduisez le jargon des précieuses.

• « le conseiller des grâces » (scène 6) désigne ....

• « les âmes des pieds » (scène 12) désignent ....

3. Sur quelle figure de style sont construites ces phrases ?

> *Comparaison – métaphore – gradation – hyperbole*

• Mascarille : « Je vois ici des yeux qui ont la mine d'être de fort mauvais garçons » (scène 9) ....

• Magdelon : « Je vous avoue que je suis furieusement pour les portraits (scène 9) ....

• Magdelon : « C'est là savoir le fin des choses, le grand fin, le fin du fin » (scène 9) ....

• Jodelet : « Il a de l'esprit comme un démon (scène 11) ....

En savoir plus sur : **www.petitsclassiqueslarousse.com**

Molière dans le costume de son temps,
ronde-bosse en plâtre de Jean-Joseph Espercieux, 1806.
Collection Patrice Bellanger.

Photo du film *Molière* d'Ariane Mnouchkine, 1978.

POUR
APPROFONDIR

Thèmes et prolongements

✤ Le ridicule

Dans *Les Précieuses ridicules*, Molière fait œuvre de moraliste. Montré pour être corrigé, le ridicule nourrit la satire, ce qui satisfait le spectateur contemporain soucieux de trouver un sens à la comédie. Mais la visée morale des *Précieuses* sur laquelle la critique se plaît à insister ne doit pas masquer une évidence : dans cette farce destinée à réjouir le spectateur, le ridicule est avant tout une voie d'accès au rire.

Une condamnation sociale

Dans la vie aussi bien que sur scène, le ridicule est un écart de conduite par rapport à un idéal social définissant la frontière du bon goût dans nos idées, notre comportement et notre langage. « Le ridicule se trouve partout : il n'y a pas une de nos actions, de nos pensées, pas un de nos gestes, de nos mouvements, qui n'en soient susceptibles », expliquent Chamfort et La Porte dans leur *Dictionnaire dramatique* (1776). Quiconque s'écarte du consensus s'expose à la moquerie. Mais le ridicule est non violent ; il sanctionne ses victimes sans les désespérer : c'est « une faute, une difformité qui ne cause ni douleur ni destruction : un visage contourné et grimaçant est ridicule et ne cause point de douleur » (Aristote, *Poétique*, V).

Dans *Les Précieuses*, Magdelon et Cathos dénaturent le protocole précieux. Inexpérimentées, conformistes et prétentieuses, elles mettent en application les règles de la galanterie en cours dans le beau monde sans s'apercevoir qu'elles commettent un nombre incalculable de faux pas. Le ridicule, condamnation sociale sans appel, sera leur châtiment.

Un ressort comique

La préciosité, par son essence même, favorise aisément les excès : art de vivre réservé à une élite, elle prête à contresens quand s'en emparent Magdelon et Cathos, les deux « pecques provinciales » (I, 1) qui, fraîchement débarquées à Paris, n'en comprennent pas les subtilités. Molière, à ce propos, prend soin de préciser sa cible : « les plus excellentes choses sont sujettes à être copiées par de mauvais singes qui méritent d'être bernés ; [...] ces vicieuses imitations de ce qu'il y a de plus parfait ont été de tout temps la matière de la comédie » (Préface). Si l'on s'en tient à ces déclarations, c'est bien à la contrefaçon que s'en prend Molière et son objectif est d'amuser avec une caricature de la préciosité.

Chez les deux cousines et leurs prétendants Mascarille et Jodelet, la préciosité, mal comprise, devient pose et maniérisme. La galanterie, cette forme de séduction fondée sur le raffinement des sentiments et la grâce de l'expression, s'altère en un grotesque « galimatias sentimental » (La Harpe, *Lycée*, 1799). Avides de « roman », les deux jeunes filles se réfèrent assidûment aux œuvres à la mode du temps, *Le Grand Cyrus* et *Clélie*, de mademoiselle de Scudéry (scène 4). C'est là qu'elles puisent leurs idées sur la séduction ou le mariage, récitant bêtement les règles établies par les mondaines de l'époque.

Dans leur discours, les deux cousines et leurs prétendants de commande pratiquent « le jargon des mauvais romans » (La Harpe, *Lycée*, 1799). À grand renfort de « il faut » et de « on doit », elles exigent que l'amant « sache débiter les beaux sentiments, pousser le doux, le tendre et le passionné, et que sa recherche soit dans les formes » (scène 4). Et lorsque Mascarille compose des phrases artificielles qui miment grossièrement la langue délicate « des gens de qualité » (scène 9), Cathos, séduite, estime qu'« il a un tour admirable dans l'esprit » (scène 9).

Les attitudes sont également déplacées ou outrées : prenant des poses avantageuses (scène 11), Mascarille exhibe ses rubans, ses gants, tandis que les deux cousines s'extasient sur leur parfum (scène 9).

À tout moment, le ridicule, dont Molière saisit à la fois toutes les manifestations et toutes les nuances, porte la pièce, assurant à cette farce en forme de comédie son rythme, sa vivacité et sa gaieté.

Pour approfondir

✤ La préciosité et nous

Dans *Les Précieuses ridicules*, Molière se moque des excès de la préciosité, courant mondain des années 1659. Mais ce phénomène de société peut-il encore intéresser le public contemporain ? À l'heure de la mondialisation qui unifie les comportements à l'échelle planétaire, comment se passionner pour cette petite communauté de gens à perruques, enfiévrée de galanterie et de langage, éprise d'originalité, exclusive à outrance ?

La passion du style : un trait fondamental de la culture française

Pour les précieux, mais surtout les précieuses, il faut à tout prix se distinguer, afficher sa supériorité, être exquis, subtil, racé, cérébral, refuser les nécessités du corps et se singulariser par un langage abstrait et métaphorique. Que voit-on dans le salon de la marquise de Rambouillet, la grande initiatrice de ce phénomène social et culturel qu'on appelle « préciosité » ? D'abord, une hôtesse charmante et raffinée, qui sait attirer autour d'elle ce que Paris compte de plus brillant parmi les hommes politiques (Richelieu) et les écrivains (Malherbe, Corneille, mademoiselle de Scudéry, madame de Sévigné, madame de Lafayette). Ensuite, une énergie artistique qui s'exprime essentiellement par le culte de la parole : chez la marquise, on compose des poèmes et des énigmes, on débat sans fin sur l'amour, on donne à la conversation ses lettres de noblesse en codifiant le bavardage mondain comme un genre littéraire. Enfin, on se débarrasse une bonne fois pour toutes des manières grossières de la cour en fixant des règles incontournables d'élégance et de style.

Telle quelle, la préciosité reflète des valeurs fondamentales de la culture française : le désir de perfection, l'idéal d'excellence, le souci de l'esthétique et de la qualité, l'obsession du bel esprit. Ces idées fixes de la société précieuse ne sont pas occasionnelles ni fortuites :

Pour approfondir

elles s'inscrivent dans la continuité de l'identité française depuis le Moyen Âge jusqu'à nos jours. Elles inspirent aussi bien l'amour courtois qui éclot dans la société médiévale que l'héroïsme à la française incarné par d'Artagnan ou Cyrano. La préciosité n'est pas un phénomène isolé de notre évolution sociale, mais une des manifestations d'un trait culturel permanent chez les Français.

Le culte du paraître, hier et aujourd'hui

La préciosité se rattache aussi à notre monde contemporain par un autre aspect : le culte du paraître. Les crèmes dont nos précieuses ridicules s'enduisent le visage (scène 3), le « conseiller des grâces » (miroir) dont elles abusent (scène 6), leur passion de la parure renvoient à la toute-puissance de l'image qui hante nos sociétés occidentales. Jamais en effet l'apparence n'a autant compté qu'aujourd'hui, jamais la mode n'a été aussi influente : elle dicte sa loi sur nos pensées et nos actions, elle oriente nos goûts, elle décide de nos vêtements et de nos coiffures. Désormais véhiculée par les médias (télévision, presse, Internet), elle règne sans partage sur les individus et les peuples, impose une manière d'être et un langage qui donnent à ses fidèles le sentiment d'appartenir à une communauté d'exception. La marquise de Rambouillet a été remplacée par les « people », stars des médias, du show-business ou du sport ; Cathos et Magdelon se sont réincarnées en fans éperdues de Paris Hilton et de Kate Moss, championnes du paraître proposées en modèles aux jeunes « pecques » du monde entier.

Sans doute, la préciosité nous paraît-elle aujourd'hui un courant daté, tout comme Magdelon et Cathos nous semblent des personnages anachroniques. Mais entre elles et nous, la distance est peut-être illusoire et à y bien regarder, nous nous apercevons que Molière, en montrant leur conformisme et leur frivolité, parlait par anticipation de nous...

Pour approfondir

✤ Le langage en question

Chacun s'accorde à dire que les personnages des *Précieuses ridicules* ne sont guère individualisés. C'est vrai : les caractères sont peu fouillés et l'action, très simple, ne favorise pas l'étude psychologique. En réalité, les personnages existent essentiellement par leur langage, Molière donnant à la parole la fonction essentielle de suggérer des personnalités, d'alimenter le comique et de fonder la satire.

Le jargon précieux

Tous les critiques ont souligné l'aspect caricatural du jargon précieux, qui se caractérise entre autres par l'excès de ses procédés. La Harpe cite notamment « le jargon des mauvais romans, qui était devenu celui du beau monde, le galimatias sentimental, le phébus des conversations, les compliments en métaphores et en énigmes, la galanterie ampoulée, la richesse des flux de mots » (*Lycée*, 1799). Dans le dialogue, la métaphore est omniprésente : pour Magdelon, un valet est « un nécessaire », et un miroir, « le conseiller des grâces » (scène 6), tandis qu'elle évoque Paris comme « le bureau des merveilles » (scène 9) et les violons comme « les âmes des pieds » (scène 12). Cathos déclare à Mascarille que le fauteuil lui « tend les bras » et affirme : « il a envie de vous embrasser » (scène 9). Mascarille parle du mariage comme de « l'assassinat de [sa] franchise » (scène 9) et définit l'amour par un cliché qui prête à rire : « le vol de mon cœur » (scène 9).

Les précieux s'enivrent aussi d'adverbes en -ment, avec une préférence marquée pour « furieusement » : Cathos déclare « qu'une oreille un peu délicate pâtit furieusement à entendre prononcer » son prénom qu'elle juge vulgaire (scène 4), Magdelon est « furieusement pour les portraits » (scène 9), Mascarille déplore que la saison ait « furieusement outragé » la délicatesse de sa voix (scène 9) et Magdelon estime que le ruban de Mascarille est « furieusement bien » choisi (scène 9).

Pour approfondir

Nos précieuses ridicules abusent des expressions à la mode, notamment des adjectifs « dernier » et « furieux ». Ainsi, Magdelon accuse son père d'être « du dernier bourgeois » (scène 4) ; si Mascarille amène dans son salon de beaux esprits, elle lui en sera « de la dernière obligation » (scène 9). Quant à Cathos, elle trouve l'impromptu de Mascarille du « dernier galant » (scène 9), avoue un « furieux tendre » pour les hommes d'épée (scène 11) et estime que Mascarille fait « une furieuse dépense en esprit » (scène 11). De son côté, Mascarille insiste pour lui montrer une « furieuse plaie » (scène 11).

Enfin, les précieuses cultivent avec passion les formulations tortueuses auxquelles personne ne comprend rien. Il y a une raison à cela : « Les précieuses sont fortement persuadées qu'une pensée ne vaut rien lorsqu'elle est entendue de tout le monde, et c'est une de leurs maximes de dire qu'il faut nécessairement qu'une précieuse parle autrement que le peuple, afin que ses pensées ne soient entendues que de ceux qui ont des clartés au-dessus du vulgaire » (Somaize, *Grand Dictionnaire des Précieuses*, 1660).

Un support de la satire

Si la langue précieuse s'impose au cours du XVIIᵉ siècle chez les gens de qualité, si, véhiculée par les romans de mademoiselle de Scudéry et d'Honoré d'Urfé, elle imprègne les œuvres des plus grands auteurs dramatiques (Molière, Corneille, Racine), le jargon de Cathos et Magdelon, par son outrance, s'écarte de la langue délicate qu'on parle dans les salons. Parodie d'un mode d'expression qui a permis aux femmes de s'affirmer intellectuellement et socialement, ce jargon signe l'échec du projet précieux. Désormais inélégante, remplie de clichés et d'effets faciles, la langue précieuse, devenue ridicule, manque son but. Elle fournit à Molière la matière d'une satire qui prend pour cible, comme toujours chez ce moraliste, la démesure et la sottise mais qui donne à sa comédie toute sa richesse comique.

Pour approfondir

❖ *Les Précieuses*, farce ou comédie de mœurs ?

> La pièce des *Précieuses ridicules* marque un tournant radical dans la carrière de Molière. C'est avec cette pièce que l'homme de théâtre fraîchement débarqué à Paris trouve la formule miraculeuse qui assurera le succès de ses comédies : un composé de farce et de comédie de mœurs, l'alliance de l'amusement et de la réflexion, le rire et le sourire.

La farce

Les Précieuses ridicules empruntent plusieurs traits à la farce, genre pourtant passé de mode à l'époque, mais que Molière rénove en lui donnant une profondeur inédite par le biais de la satire.

Tout d'abord, il s'agit d'une pièce courte en un acte, structure rapide qui convient à un public avide de s'amuser sans arrière-pensée.

Ensuite, l'intrigue est très simple : deux jeunes précieuses sont la dupe de deux valets qui se font passer pour des gentilshommes sur ordre de leurs maîtres qui veulent se venger d'elles. À la fin, les jeunes filles détrompées sont cruellement humiliées. On trouve ici les ingrédients habituels de la farce : affront, représailles, duperie, punition des coupables.

Les caractères, peu subtils, se rattachent à des types : deux jeunes filles pédantes et superficielles (Cathos et Magdelon), un bourgeois réaliste et conservateur (Gorgibus), deux valets ingénieux et bavards (Mascarille, qui porte le masque attaché à son rôle, et Jodelet, qui présente une figure enfarinée conformément à la tradition de la farce).

Enfin, le thème de la mystification s'inscrit dans tradition du genre avec son cortège de scènes obligées : clowneries des dupeurs qui se prennent au jeu de l'imposture (Mascarille faisant le bel esprit, scène 9), fanfaronnades entre le faux marquis et le faux vicomte (scène 11), soufflets et bastonnades (Mascarille s'en prend aux deux porteurs, scène 7 ; les vrais marquis bâtonnent leurs valets, scène 13). Tous ces procédés sont bien ceux de la farce bouffonne.

La comédie de mœurs

Mais la satire dans *Les Précieuses ridicules* détourne la farce vers la comédie de mœurs. Molière accomplit ici un coup de maître : pour la première fois, un auteur dramatique fait entrer l'actualité sociale dans la comédie et donne à voir, en riant, les défauts de ses contemporains.

Que vise-t-il ? D'abord un groupe social enivré de roman aux dépens de la vie réelle : la conception romanesque de l'amour qu'inspire aux précieuses les romans à la mode (scène 4), tout comme les imprécations de Gorgibus contre la littérature et la poésie (scène 17) suggèrent que Molière déplore que l'on préfère les mauvais livres à l'expérience et à la vie.

La satire prend également pour cible la vanité et la sottise des deux précieuses qui font les importantes, rejetant leurs origines bourgeoises en faveur d'un rêve de grandeur tout à fait déplacé (scène 5). Cette satire s'appuie d'abord sur la caricature : tout au long de la pièce, la conduite, les idées et le langage grotesques de Cathos et de Magdelon font l'objet d'une charge sur laquelle se greffe la critique. La satire prend aussi pour porte-parole certains personnages : Gorgibus qui, devant les deux jeunes filles, navigue entre l'incompréhension et la fureur (scènes 4, 16, 17), la servante Marotte qui, déroutée par le jargon de ses maîtresses, réclame qu'on « parle chrétien » (scène 6).

Enfin, la satire vise l'imposture sociale : s'appuyant sur la parodie, elle dénonce l'imitation outrée des mœurs aristocratiques à laquelle s'adonnent Mascarille et Jodelet. À la fin de la pièce, la punition des deux valets a valeur d'avertissement : on ne s'affranchit pas impunément de ses origines.

Pour approfondir

Textes et images

✥ Père et fille

Souvent conflictuel dans la comédie, le dialogue entre père et fille est un motif riche d'émotions. Les écrivains évoquent sur des registres multiples cette relation essentielle qui marque le destin des femmes.

Documents :

❶ Extrait de *L'Avare*, de Molière

❷ Extrait de *La Recherche de l'absolu*, de Balzac

❸ Extrait du *Père Goriot*, de Balzac

❹ Extrait d'*Enfances*, de Nathalie Sarraute

❺ *Father and Daughter*, Eugen Klimsch, Mary Evans, 1884

❻ Affiche du film *Tel père, telle fille*, d'Olivier Plas, avec Vincent Elbaz et Daisy Broom, 2007

❼ *L'Avare*, de Molière, acte V, scène 4, Lise à genoux devant son père Harpagon en colère, gravure sur acier par Ferdinand Delannoy d'après un dessin de Gustave Staal, extraite des *Œuvres complètes de Molière*, Garnier Frères, 1870

❶ [Harpagon vient d'apprendre que sa fille Élise s'est fiancée secrètement avec Valère, l'intendant de la maison, tout juste accusé d'avoir volé le trésor de son maître.]

Harpagon. Ah ! fille scélérate ! fille indigne d'un père comme moi ! c'est ainsi que tu pratiques les leçons que je t'ai données ? Tu te laisses prendre d'amour pour un voleur infâme, et tu lui engages ta foi sans mon consentement ? Mais vous serez trompés l'un et l'autre. Quatre bonnes murailles me répondront de ta conduite ; et une bonne potence me fera raison de ton audace.

Valère. Ce ne sera point votre passion qui jugera l'affaire ; et l'on m'écoutera, au moins, avant que de me condamner.

Harpagon. Je me suis abusé de dire une potence, et tu seras roué tout vif.

Élise, *à genoux devant son père.* Ah ! mon père, montrez des sentiments un peu plus humains, je vous prie, et n'allez point pousser les choses dans les dernières violences du pouvoir paternel. Ne vous laissez point entraîner aux premiers mouvements de votre passion, et donnez-vous le temps de considérer ce que vous voulez faire. Prenez la peine de mieux voir celui dont vous vous offensez : il est tout autre que vos yeux ne le jugent ; et vous trouverez moins étrange que je me sois donnée à lui, lorsque vous saurez que sans lui vous ne m'auriez plus il y a longtemps. Oui, mon père, c'est celui qui me sauva de ce grand péril que vous savez que je courus dans l'eau, et à qui vous devez la vie de cette même fille dont...

Harpagon. Tout cela n'est rien ; et il valait bien mieux pour moi qu'il te laissât noyer que de faire ce qu'il a fait.

Élise. Mon père, je vous conjure, par l'amour paternel, de me...

Harpagon. Non, non, je ne veux rien entendre ; et il faut que la justice fasse son devoir.

Molière, L'Avare, V, 4, 1668.

2 [Obsédé par la science, Balthazar Claës a ruiné sa famille. Il doit affronter sa fille qui tente d'arrêter le cycle infernal de ses dépenses.] « Mon père, oubliez vos expériences, lui dit sa fille quand ils furent seuls, vous avez cent mille francs à payer, et nous ne possédons pas un liard. Quittez votre laboratoire, il s'agit aujourd'hui de votre honneur. Que deviendrez-vous, quand vous serez en prison, souillerez-vous vos cheveux blancs et le nom Claës par l'infamie d'une banqueroute[1] ? Je m'y opposerai. J'aurai la force de combattre votre folie, il serait affreux de vous voir sans pain dans vos derniers jours. Ouvrez les yeux sur notre position, ayez donc enfin de la raison !

– Folie ! » cria Balthazar qui se dressa sur ses jambes, fixa ses yeux lumineux sur sa fille, se croisa les bras sur la poitrine, et répéta le mot folie si majestueusement, que Marguerite trembla.

« Ah ! ta mère ne m'aurait pas dit ce mot ! reprit-il, elle n'ignorait pas

---

1. **Banqueroute :** faillite.

l'importance de mes recherches, elle avait appris une science pour me comprendre, elle savait que je travaille pour l'humanité, qu'il n'y a rien de personnel ni de sordide en moi. Le sentiment de la femme qui aime est, je le vois, au-dessus de l'affection filiale. Oui, l'amour est le plus beau de tous les sentiments ! Avoir de la raison ? reprit-il en se frappant la poitrine, en manqué-je ? ne suis-je pas moi ? Nous sommes pauvres, ma fille, eh bien, je le veux ainsi. Je suis votre père, obéissez-moi. Je vous ferai riche quand il me plaira. Votre fortune, mais c'est une misère. Quand j'aurai trouvé un dissolvant du carbone, j'emplirai votre parloir de diamants, et c'est une niaiserie en comparaison de ce que je cherche. Vous pouvez bien attendre, quand je me consume en efforts gigantesques.

– Mon père, je n'ai pas le droit de vous demander compte de quatre millions que vous avez engloutis dans ce grenier sans résultat. Je ne vous parlerai pas de ma mère que vous avez tuée. Si j'avais un mari, je l'aimerais, sans doute, autant que vous aimait ma mère, et je serais prête à tout lui sacrifier, comme elle vous sacrifiait tout. J'ai suivi ses ordres en me donnant à vous tout entière, je vous l'ai prouvé en ne me mariant point afin de ne pas vous obliger à me rendre votre compte de tutelle. Laissons le passé, pensons au présent. »

Honoré de Balzac, La Recherche de l'absolu, 1834.

Pour approfondir

3 [Le père Goriot agonise, après avoir attendu vainement l'arrivée de ses deux filles adorées pour lesquelles il s'est ruiné. Son jeune ami, Rastignac, l'assiste dans ses derniers instants.]

– Aucune de ses filles ne viendrait, s'écria Rastignac. Je vais écrire à toutes deux.

– Aucune, répondit le vieillard en se dressant sur son séant. Elles ont des affaires, elles dorment, elles ne viendront pas. Je le savais. Il faut mourir pour savoir ce que c'est que des enfants. Ah ! mon ami, ne vous mariez pas, n'ayez pas d'enfants ! Vous leur donnez la vie, ils vous donnent la mort. Vous les faites entrer dans le monde, ils vous en chassent. Non, elles ne viendront pas ! Je sais cela depuis dix ans. Je me le disais quelquefois, mais je n'osais pas y croire.

Une larme roula dans chacun de ses yeux, sur la bordure rouge, sans en tomber.

« Ah ! si j'étais riche, si j'avais gardé ma fortune, si je ne la leur avais pas donnée, elles seraient là, elles me lècheraient les joues de leurs baisers ! je demeurerais dans un hôtel[1], j'aurais de belles chambres, des domestiques, du feu à moi ; et elles seraient tout en larmes, avec leurs maris, leurs enfants. J'aurais tout cela. Mais rien. L'argent donne tout, même des filles. Oh ! mon argent, où est-il ? Si j'avais des trésors à laisser, elles me panseraient, elles me soigneraient ; je les entendrais, je les verrais. Ah ! mon cher enfant, mon seul enfant, j'aime mieux mon abandon et ma misère ! Au moins quand un malheureux est aimé, il est bien sûr qu'on l'aime. Non, je voudrais être riche, je les verrais. Ma foi, qui sait ? Elles ont toutes les deux des cœurs de roche. J'avais trop d'amour pour elles pour qu'elles en eussent pour moi. Un père doit être toujours riche, il doit tenir ses enfants en bride comme des chevaux sournois. Et j'étais à genoux devant elles. Les misérables ! elles couronnent dignement leur conduite envers moi depuis dix ans. »

Honoré de Balzac, *Le Père Goriot*, 1834-1835.

4 [Dans son autobiographie, Nathalie Sarraute évoque des moments précieux partagés avec son père.]

Je me tiens debout devant lui entre ses jambes écartées, mes épaules arrivent à la hauteur de ses genoux... j'énumère les jours de la semaine... lundi, mardi, mercredi, jeudi, vendredi, samedi, dimanche... et puis, lundi, mardi... « Ça suffit maintenant, tu les sais... – Mais qu'est-ce qui vient après ? – Après, tout recommence... – Toujours pareil ? Mais jusqu'à quand ? – Toujours. – Même si je le répète encore et encore ? Si je le dis toute la journée ? Si je le dis toute la nuit ? Ça va revenir de nouveau, lundi, mardi, toujours ? – Toujours, mon petit idiot... » sa main glisse sur ma tête, je sens irradiant de lui quelque chose en lui qu'il tient enfermé, qu'il retient, il n'aime pas le

---

1. **Hôtel :** hôtel particulier.

montrer, mais c'est là, je le sens, c'est passé dans sa main vite retirée, dans ses yeux, dans sa voix qui prononce ces diminutifs qu'il est seul à faire de mon prénom : Tachok ou le diminutif de ce diminutif : Tachotchek... et aussi ce nom comique qu'il me donne : Pigalitza... quand je lui demande ce que c'est, il me dit que c'est le nom d'un petit oiseau.

J'aime passer la main sur ses joues maigres, un peu rugueuses, serrer leur peau entre mes doigts pour la soulever, chatouiller sa nuque... il me repousse gentiment... et aussi parfois, quand il ne s'y attend pas, lui donner un gros baiser dans le creux de l'oreille et voir comme assourdi il y enfonce un doigt qu'il agite en secouant la tête... fait mine de se fâcher... « Quel jeu stupide... »

Nathalie Sarraute, *Enfance*, Gallimard, 1983.

Pour approfondir

❖ Étude des textes

Savoir lire

1. Caractérisez la relation entre père et fille dans chaque texte : qui détient l'autorité?

2. Harpagon est-il un père sévère mais aimant (texte 1) ? Justifiez votre réponse.

3. Qu'est-ce qui compte le plus pour Balthazar : ses recherches ou sa famille (texte 2) ?

4. Quel bilan le père Goriot fait-il de sa paternité (texte 3) ? Que regrette-t-il ?

Savoir faire

5. « Je suis votre père, obéissez-moi », dit Balthazar à sa fille Marguerite (texte 2) : discutez ce principe d'éducation dans un paragraphe argumentatif fondé sur des exemples empruntés à la vie courante.

6. Citez deux comédies de Molière dans lesquelles le père veut imposer à sa fille un mari qu'elle n'aime pas.

7. Quelles réflexions et quelles émotions vous inspire le récit autobiographique de Nathalie Sarraute (texte 4) ? Appuyez votre réponse sur des éléments précis du texte.

❖ Étude des images

Savoir analyser

1. Datez ces documents : à partir de quels détails de l'image pouvez-vous accomplir cette tâche?

2. Que signifie la légende « Il est rebelle, elle est ado... c'est pire » apparaissant sur l'affiche de *Tel père, telle fille* (doc. 6) ?

3. Par quels aspects la scène qui présente Élise agenouillée devant son père (doc. 7) est-elle pathétique? Quels sentiments cherche-t-elle à inspirer ?

Savoir faire

4. Expliquez et discutez la thèse « Tel père, telle fille » : êtes-vous d'accord ou non avec cette idée ?

5. En vous appuyant sur ces trois documents, brossez le portrait d'un père idéal.

Pour approfondir

Textes et images

✤ Points de vue sur le mariage

> Dans *Les Précieuses ridicules*, les deux jeunes cousines et Gorgibus s'opposent sur le mariage.

Documents :

❶ Extrait des *Femmes savantes*, de Molière

❷ Extrait de *Physiologie du mariage*, de Balzac

❸ *Ne vous mariez pas, les filles*, chanson de Boris Vian

❹ Photo du mariage du prince Rainier et de Grace Kelly, Monte Carlo, 19 avril 1956

❺ *Un Mariage bourgeois*, peinture d'Henri Gervey (1852-1929)

❻ Affiche du Grand Salon du mariage de Paris, 2007

❶ [Henriette annonce à sa sœur ses projets de mariage. Mais Armande essaie de l'en dissuader...]

ARMANDE

De tels attachements, ô Ciel ! sont pour vous plaire ?

HENRIETTE

Et qu'est-ce qu'à mon âge on a de mieux à faire,
Que d'attacher à soi, par le titre d'époux,
Un homme qui vous aime et soit aimé de vous,
Et de cette union, de tendresse suivie,
Se faire les douceurs d'une innocente vie ?
Ce nœud[1] bien assorti n'a-t-il pas des appas ?

ARMANDE

Mon Dieu, que votre esprit est d'un étage bas !
Que vous jouez au monde un petit personnage,

_____

1. **Ce nœud :** cette union.

Pour approfondir

De vous claquemurer[1] aux choses du ménage,
Et de n'entrevoir point de plaisirs plus touchants
Qu'un idole d'époux et des marmots d'enfants !
Laissez aux gens grossiers, aux personnes vulgaires,
Les bas amusements de ces sortes d'affaires.
À de plus hauts objets élevez vos désirs,
Songez à prendre un goût des plus nobles plaisirs,
Et, traitant de mépris les sens et la matière,
À l'esprit comme nous, donnez-vous toute entière :
Vous avez notre mère en exemple à vos yeux,
Que du nom de savante on honore en tous lieux ;
Tâchez, ainsi que moi, de vous montrer sa fille,
Aspirez aux clartés[2] qui sont dans la famille,
Et vous rendez sensible aux charmantes douceurs
Que l'amour de l'étude épanche dans les cœurs.
Loin d'être aux lois d'un homme en esclave asservie,
Mariez-vous, ma sœur, à la philosophie,
Qui nous monte au-dessus de tout le genre humain
Et donne à la raison l'empire souverain,
Soumettant à ses lois la partie animale,
Dont l'appétit grossier aux bêtes nous ravale.
Ce sont là les beaux feux, les doux attachements,
Qui doivent de la vie occuper les moments ;
Et les soins où je vois tant de femmes sensibles
Me paraissent aux yeux des pauvretés horribles.

Molière, *Les Femmes savantes*, I, 1, 1672.

2 [Dans cette étude sur le mariage, le romancier Balzac interroge les différents aspects du lien conjugal.]
Physiologie, que me veux-tu ?

Pour approfondir

---

1. **De vous claquemurer aux :** de vous enfermer dans, de vous limiter aux.
2. **Clartés :** connaissances.

Textes et images

Ton but est-il de nous démontrer que le mariage unit, pour toute la vie, deux êtres qui ne se connaissent pas ?

Que la vie est dans la passion, et qu'aucune passion ne résiste au mariage ?

Que le mariage est une institution nécessaire au maintien des sociétés, mais qu'il est contraire aux lois de la nature ?

Que le divorce, cet admirable palliatif aux maux du mariage, sera unanimement redemandé ?

Que, malgré tous ses inconvénients, le mariage est la source première de la propriété ?

Qu'il offre d'incalculables gages de sécurité aux gouvernements ?

Qu'il y a quelque chose de touchant dans l'association de deux êtres pour supporter les peines de la vie ?

Qu'il y a quelque chose de ridicule à vouloir qu'une même pensée dirige deux volontés ?

Que la femme est traitée en esclave ?

Qu'il n'y a pas de mariages entièrement heureux ?

Que le mariage est gros de crimes, et que les assassinats connus ne sont pas les pires ?

Que la fidélité est impossible, au moins à l'homme ?

Qu'une expertise, si elle pouvait s'établir, prouverait plus de troubles que de sécurité dans la transmission patrimoniale des propriétés ?

Que l'adultère occasionne plus de maux que le mariage ne procure de biens ?

Que l'infidélité de la femme remonte aux premiers temps des sociétés, et que le mariage résiste à cette perpétuité de fraudes ?

Que les lois de l'amour attachent si fortement deux êtres, qu'aucune loi humaine ne saurait les séparer ?

Honoré de Balzac, *Physiologie du mariage*, 1830.

❸ Ne vous mariez pas, les filles

Avez-vous vu un homme à poil
Sortir soudain de la salle de bains
Dégoulinant par tous les poils

Et la moustache pleine de chagrin ?
Avez-vous vu un homme bien laid
En train de manger des spaghetti
Fourchette au poing, l'air abruti
De la sauce tomate sur son gilet
Quand ils sont beaux, ils sont idiots
Quand ils sont vieux, ils sont affreux
Quand ils sont grands, ils sont feignants
Quand ils sont petits, ils sont méchants
Avez-vous vu un homme trop gros
Extraire ses jambes de son dodo
Se masser le ventre et se gratter les tifs
En regardant ses pieds l'air pensif ?

Ne vous mariez pas, les filles, ne vous mariez pas
Faites plutôt du cinéma
Restez pucelle chez vote papa
Devenez serveuse chez un bougnat
Élevez des singes, élevez des chats
Levez la patte à l'Opéra
Vendez des boîtes de chocolat
Prenez le voile ou le prenez pas
Dansez à poil pour les gagas
Soyez radeuse avenue du Bois
Mais ne vous mariez pas, les filles
Ne vous mariez pas

Boris Vian, 1958 (musique : Alain Goraguer, interprète : Michèle Arnaud).

4

5

Pour approfondir

Le Grand
Salon 27-28 octobre 2007
Parc Floral de Paris
du Mariage
de Paris

Espace Événements
du Parc Floral de Paris
Hall de la Pinède
de 10h à 19h

Parc
Floral
De Paris
L'espace
événements

Pour approfondir

✢ Étude des textes

Savoir lire

1. Quel est le point commun de ces trois textes ?
2. Qui parle dans chaque texte ? À qui s'adresse l'énonciateur ? Quelle thèse défend-il ?
3. Quels reproches majeurs ces textes adressent-ils à l'institution du mariage ? Lequel vise plus particulièrement les maris ?
4. Quel est le texte le plus impertinent ? Pourquoi ?

Savoir faire

5. Que pensez-vous de cette idée empruntée au texte de Balzac (texte 2) : « aucune passion ne résiste au mariage » ? Expliquez-la et discutez-la.
6. En imitant la chanson de Boris Vian (texte 3), composez un texte amusant sur le thème : « Mariez-vous, les filles ! »
7. Quelle différence faites-vous entre un mariage civil et un mariage religieux ? Les deux sont-ils obligatoires en France ?

✢ Étude des images

Savoir analyser

1. Répertoriez les indices religieux dans le décor du mariage du prince Rainier avec Grace Kelly (doc. 4). Où se trouve-t-on ? Quelle atmosphère ces indices contribuent-ils à créer ?
2. À quels détails voit-on que le « mariage bourgeois » présente un mariage civil et non religieux (doc. 5) ?
3. Étudiez la lumière dans ce tableau (doc. 5) : d'où vient-elle et que met-elle en évidence ?
4. Qui est la fillette présentée sur l'affiche du salon du mariage (doc. 6) ? Que fait-elle ? Quelle conduite cherche-t-elle à inspirer au public ?

Savoir faire

5. Rédigez un texte publicitaire pour encourager le grand public à aller au Salon du mariage présenté sur l'affiche (doc. 6).
6. Quelle image a votre préférence ? Expliquez vos raisons en vous appuyant sur la signification de ces trois documents.

Pour approfondir

Vers le brevet

Sujet 1 : texte 2 p. 97, *La Recherche de l'absolu*, Honoré de Balzac

Questions

I - Un savant génial

1. a) Relevez le champ lexical de la science.

   b) Que révèle-t-il des recherches que conduit Balthazar ?

2. a) Quel rapport logique percevez-vous entre les deux propositions dans la phrase : « Quittez votre laboratoire, il s'agit aujourd'hui de votre honneur » ?

   b) Transformez cette phrase en une phrase complexe où la proposition subordonnée traduira le même rapport de sens.

3. a) « Quand j'aurai trouvé un dissolvant du carbone, [...] quand je me consume en efforts gigantesques » : analysez les deux propositions introduites par *quand*.

   b) Quelle nuance de sens percevez-vous dans l'emploi de la conjonction *quand* ?

   c) Construisez une phrase dans laquelle la conjonction *quand* aura la même valeur que dans la seconde proposition.

4. Que désigne en réalité le « grenier » que mentionne Marguerite dans sa deuxième réplique ?

II - La ruine d'une famille

1. « vous avez cent mille francs à payer, et nous ne possédons pas un liard » : commentez l'emploi des pronoms personnels « vous » et « nous ».

2. a) Donnez le sens du mot « honneur » dans la phrase « il s'agit aujourd'hui de votre honneur ».

b) Réunissez la famille de ce mot en l'enrichissant de deux verbes et de deux adjectifs qualificatifs.

c) Utilisez le nom « honneur » dans une phrase qui fera ressortir son sens.

3. a) Que signifie l'expression « l'infamie d'une banqueroute » ?

b) Remplacez-la par une expression de sens équivalent.

4. a) « Votre fortune, mais c'est une misère » : que veut dire Balthazar ?

b) Sur quelle figure de style est construite cette phrase ? Qu'apporte-t-elle à l'idée exprimée ?

5. Trouvez dans le texte deux constructions impersonnelles et transformez-les en constructions personnelles sans changer le sens de la phrase.

III - Père et fille

1. a) Précisez la valeur des impératifs dans le premier paragraphe.

b) Qui parle ? À quel destinataire ?

c) Que révèlent ces impératifs des émotions de Marguerite et de la relation qu'elle entretient avec son père ?

d) « Laissons le passé, pensons au présent » : que révèle ici l'emploi de la 1re personne du pluriel ?

2. Dans le premier paragraphe, Marguerite condamne la « folie » de son père et lui demande d'avoir de la « raison ». Expliquez le sens de ces deux termes dans le texte.

3. a) Repérez, dans la première réplique de Balthazar, un passage narratif.

b) À partir de quels indices ce passage se signale-t-il à l'attention du lecteur ?

4. a) Justifiez l'emploi du conditionnel dans la phrase : « Si j'avais un mari, je l'aimerais, sans doute, autant que vous aimait ma mère, et je serais prête à tout lui sacrifier, comme elle vous sacrifiait tout ».

Vers le brevet

b) Proposez une phrase dans laquelle le conditionnel exprimera le souhait et une autre phrase où il aura la valeur d'un futur dans le passé.

Réécriture

 Transformez cette réplique au discours direct en discours indirect. Vous utiliserez, au choix, les verbes suivants : *déclarer, répondre, s'exclamer, dire, ajouter, affirmer.*

« Je n'ai pas le droit de vous demander compte de quatre millions que vous avez engloutis [...] et je serais prête à tout lui sacrifier, comme elle vous sacrifiait tout ».

Rédaction

Introduisez, dans ce dialogue de roman, des passages narratifs et descriptifs à travers lesquels le narrateur omniscient révélera les émotions, les réflexions, les réactions des deux personnages au cours de leur affrontement.

Ces passages encadreront chaque prise de parole, sous la forme d'un paragraphe de quelques lignes. La rédaction emploiera les temps du passé (imparfait, plus-que-parfait, passé composé).

Petite méthode pour la rédaction

• Dans la narration, le narrateur raconte une histoire, tandis que dans la description il donne à voir le cadre de l'action ou brosse le portrait des personnages.

• Les « émotions » traduisent la sensibilité du personnage, ses « réflexions » nous donnent accès à son mode de raisonnement et ses « réactions » nous font comprendre son comportement face aux événements.

• Le point de vue omniscient suggère que le narrateur sait tout de ses personnages et qu'il révèle au lecteur les ressorts de leur conduite.

• La rédaction devra se limiter à quatre paragraphes dont le sens complètera avec logique celui du dialogue.

Questions

I - Un récit autobiographique

1. Qui représente le pronom « je » dans le récit ?

2. a) Qui prononce les phrases au discours direct ?

   b) Attribuez à chaque locuteur les phrases qu'il prononce.

3. Repérez les phrases de récit en précisant vos indices.

4. a) Quelle est la valeur du présent dans la première phrase de ce récit ?

   b) Trouvez, dans le texte, l'exemple d'un présent de l'indicatif ayant une autre valeur que vous préciserez.

   c) Créez une phrase autobiographique dans laquelle le présent aura la même valeur que celle du premier paragraphe.

5. a) Que signifient les points de suspension ? Quelle impression produisent-ils sur le lecteur ?

   b) Que signifient les guillemets et les tirets dans ce récit en prose ?

II - Un père très aimé

1. a) Donnez la signification du verbe « irradier » dans le texte. Que perçoit l'enfant ?

   b) Donnez un terme appartenant à la même famille et accompagnez-le de sa définition.

   c) Réutilisez les deux termes dans deux phrases qui leur donneront tout leur sens.

2. Dans les phrases : « il n'aime pas le montrer », et « je le sens », que représente le pronom personnel « le » ?

3. a) Relevez les termes et expressions par lesquels la narratrice évoque les traits physiques et la personnalité de son père.

   b) Quelle image en ressort ?

   c) Quels sentiments traduisent-ils de la part de l'enfant ?

4. a) Le père est-il vraiment fâché par le « jeu stupide » de sa petite fille ? Justifiez votre réponse en citant un verbe révélateur dont vous préciserez le sens.

   b) Proposez deux verbes synonymes qui pourraient convenir au texte.

III - Un dialogue familier

1. a) Quels sentiments successifs traduisent les répliques de l'enfant et de son père ?

   b) Quelle relation révèlent-elles ?

2. a) Quelles sont les caractéristiques de la langue orale dans les phrases : « – Toujours pareil ? Mais jusqu'à quand ? – Toujours. – Même si je le répète encore et encore ? Si je le dis toute la journée ? Si je le dis toute la nuit ? Ça va revenir de nouveau, lundi, mardi, toujours ? – Toujours, mon petit idiot... » ?

   b) Donnez à ces phrases une tournure plus traditionnelle : quels changements êtes-vous alors obligé d'apporter au texte d'origine et quel est l'effet produit à la lecture ?

3. « Quand je lui demande ce que c'est, il me dit que c'est le nom d'un petit oiseau. » : sans oublier d'utiliser la ponctuation requise, transformez cette phrase en deux répliques au discours direct.

Réécriture

Transformez au passé le premier paragraphe du récit. Vous apporterez au texte les changements nécessaires à sa correction grammaticale.

Rédaction

Dans un récit autobiographique qui inclura quelques passages de dialogue, évoquez des scènes de votre enfance. Ces scènes devront rapporter des petits faits familiers qui suggéreront le climat dans lequel vous avez vécu ces années-là et les relations affectives que vous avez eues avec vos parents ou vos frères et sœurs.

Vous adopterez, au choix, le présent de narration ou l'imparfait.

Petite méthode pour la rédaction

• Un récit autobiographique est un récit à la première personne dans lequel le narrateur raconte des faits qu'il a réellement vécus.

• Les passages de dialogues pourront suivre le modèle donné par Nathalie Sarraute (phrases elliptiques insérées dans le corps de la narration).

• N'oubliez pas de clarifier les mots-clés du sujet : le « climat » de votre enfance renvoie à l'atmosphère, à l'ambiance dans laquelle vous avez vécu ; les relations affectives désignent les sentiments éprouvés et reçus à cette époque.

• Le présent de narration rendra votre récit très actuel, tandis que l'imparfait le replacera dans un passé révolu.

Vers le brevet

Outils de lecture

Absurde : contraire à la logique. L'absurde fait rire.

Action : sujet d'une pièce (par opposition à la peinture des caractères). L'action progresse jusqu'au dénouement.

Antithèse : rapprochement dans une phrase de deux termes opposés par le sens.

Aparté : réflexion d'un personnage pour lui-même.

Appréciatif : qui souligne les qualités d'une personne ou d'une chose.

Argumentatif (discours) : type de discours dont l'objectif est de convaincre.

Burlesque : forme de comique qui consiste à traiter un sujet noble sur un mode familier, outré et extravagant.

Caricature : peinture d'un personnage exagérant à traits grossiers ses caractéristiques les plus significatives.

Comique : nature d'un texte qui cherche à faire rire. Comique de situation (quiproquos, coups de théâtre), de mots (calembours, plaisanteries, allusions), de caractère (idées fixes, snobisme), de gestes (soufflets, coups, chutes, signes).

Commedia dell'arte : théâtre populaire italien, improvisé à partir d'un canevas.

Coup de théâtre : événement inattendu qui change radicalement le cours de l'action.

Dénouement : fin de l'action.

Dépréciatif : qui souligne les défauts d'une personne ou d'une chose.

Didascalie : indication scénique accompagnant les répliques et indiquant les mouvements et les particularités du jeu d'un personnage.

Dramatique : 1. Relatif au théâtre. 2. Qui émeut, surprend et frappe l'imagination.

Exposition : premières scènes qui présentent les personnages, exposent la situation et situent le lieu et le moment de l'action.

Farce : courte comédie, cocasse et bouffonne.

Figure de style : formule par laquelle un auteur donne davantage d'expressivité à ses idées. Ex. : l'antithèse, l'énumération.

Fonction d'une scène : utilité d'une scène dans la progression de l'action. Ex. : scène de transition.

Hyperbole : figure de style qui correspond à une exagération.

Intrigue : trame des événements dans une pièce de théâtre ou un roman.

Ironie : raillerie qui consiste à dire le contraire de ce qu'on exprime et de ce qu'on pense.

Métaphore : comparaison dans laquelle on a supprimé le terme comparatif.

Nœud de l'action : sommet dramatique de l'action.

Oxymore : figure de style qui associe deux termes de sens radicalement opposé.

Parodie : imitation comique d'un discours ou d'une attitude.

Péripétie : événement imprévu intervenant dans l'action.

Périphrase : figure de style évoquant sous la forme d'une expression suggestive ce qui pourrait être désigné en un seul mot.

Personnification : figure de style qui consiste à attribuer à un objet ou à une notion, un comportement humain.

Rhétorique : art de bien parler et de communiquer sous une forme persuasive.

Romanesque : extraordinaire, comme dans les romans.

Satire : dénonciation comique des travers d'un individu, d'un groupe, d'une idée, d'une institution. La satire a un but moral. Ex. : la satire de la préciosité.

Tirade : longue suite de vers qu'un personnage récite sans interruption.

Transition (scène de) : scène courte qui fait le lien entre deux scènes importantes.

Unités : règles du théâtre classique selon lesquelles une pièce ne doit développer qu'un seul sujet (unité d'action), dans un lieu unique (unité de lieu), en moins de vingt-quatre heures (unité de temps).

Vraisemblance : caractère de ce qui paraît vrai mais qui ne l'est pas forcément.

Frontispice de la *Suite d'estampes des principaux sujets des comédies de Molière*, gravure de F. Joulain d'après Charles Antoine Coypel, 1726. Bibliothèque nationale de France, Paris.

1680

COMEDIE·FRANÇAISE

1922

Tri·Centenaire de Molière

SAMEDI 7 JANVIER 1922. Soirée
AIMER MOLIERE (DEBUT)

L'ÉTOURDI
Comédie en CINQ actes, en vers, de MOLIÈRE
Décors et Costumes nouveaux de M. DRESA

La Gloire de Molière
Poème de THÉODORE DE BANVILLE

LES COMÉDIES DE MOLIÈRE
Cérémonie avec les Sociétaires et Pensionnaires
de la Comédie-Française

LES PRÉCIEUSES RIDICULES
Comédie en UN acte, en prose, de MOLIÈRE

LUNDI 9 JANVIER. Soirée

L'AVARE
Comédie en CINQ actes, en vers, de MOLIÈRE

L'AMOUR MÉDECIN
Comédie-Ballet en TROIS actes, en prose, de MOLIÈRE
Musique de LULLI
Décors nouveaux de M. BERTIN

MARDI 10 JANVIER (Abonnement). Soirée

DON JUAN
ou Le Festin de Pierre
Comédie en CINQ actes, en prose, de MOLIÈRE

MERCREDI 11 JANVIER. Soirée

L'ÉCOLE des MARIS
Comédie en TROIS actes, en vers, de MOLIÈRE

MONSIEUR de POURCEAUGNAC
Comédie-Ballet en TROIS actes, en prose, de MOLIÈRE
Sujet de LULLI, musique de M. RAYMOND CHARPENTIER
Décor nouveau de M. BERTIN

JEUDI 12 JANVIER (Abonnement). Soirée

DON JUAN

SAMEDI 14 JANVIER. Soirée

Le Malade Imaginaire
Comédie en TROIS actes, en prose, de MOLIÈRE
avec Divertissements - Musique de LULLI

LA CÉRÉMONIE

LA COMTESSE D'ESCARBAGNAS
Comédie en UN acte, en prose, de MOLIÈRE
avec INTERMÈDE

DIMANCHE 15 JANVIER
Matinée Gratuite

L'ÉTOURDI
MONSIEUR de POURCEAUGNAC

En Soirée
Représentation de Gala offerte par le Gouvernement aux Représentants
des Nations étrangères

La Gloire de Molière
LES COMÉDIES DE MOLIÈRE
Cérémonie avec les Sociétaires et Pensionnaires
de la Comédie-Française

LE BOURGEOIS GENTILHOMME
Comédie-Ballet en CINQ actes, en prose, de MOLIÈRE
Musique de LULLI

LUNDI 16 JANVIER. Soirée
Représentation de Gala offerte par le Sous-secrétariat à l'Université
et aux Grandes Écoles

TARTUFFE ou l'Imposteur
Comédie en CINQ actes, en vers, de MOLIÈRE

MONSIEUR de POURCEAUGNAC

MARDI 17 JANVIER (Abonnement). Soirée

DON JUAN

MERCREDI 18 JANVIER. Soirée

LES FEMMES SAVANTES
Comédie en CINQ actes, en vers, de MOLIÈRE

LE TOMBEAU DE MOLIÈRE
Poème d'ANATOLE FRANCE

LES FOURBERIES DE SCAPIN
Comédie en TROIS actes, en prose, de MOLIÈRE
Décor nouveau de M. Charles ORNAVAL

JEUDI 19 JANVIER (Abonnement). Matinée

LA COMTESSE D'ESCARBAGNAS
LE BOURGEOIS GENTILHOMME

Soirée (Abonnement)

DON JUAN

SAMEDI 21 JANVIER. Soirée

LES AMANTS MAGNIFIQUES (Fragments), de MOLIÈRE

LE MISANTHROPE
Comédie en CINQ actes, en vers, de MOLIÈRE

Épître à Molière (BOILEAU)

LE SICILIEN ou L'AMOUR PEINTRE
Comédie-Ballet en UN acte, en prose, de MOLIÈRE
Décors nouveaux de M. BERTIN

DIMANCHE 22 JANVIER. Matinée

SGANARELLE ou Le Cocu Imaginaire
Comédie en UN acte, en vers, de MOLIÈRE

LE BOURGEOIS GENTILHOMME

LUNDI 23 JANVIER. Soirée

L'ÉCOLE DES FEMMES
Comédie en CINQ actes, en vers, de MOLIÈRE
Décor nouveau de M. BAILLY

Stances à Molière (BOILEAU)

La Critique de l'École des Femmes

L'IMPROMPTU DE VERSAILLES
Comédie en UN acte, en prose, de MOLIÈRE

MERCREDI 25 JANVIER. Soirée

DÉPIT AMOUREUX
Comédie en DEUX actes, en vers, de MOLIÈRE

DON JUAN

JEUDI 26 JANVIER (Abonnement). Matinée

LA COMTESSE D'ESCARBAGNAS
LE BOURGEOIS GENTILHOMME

SAMEDI 28 JANVIER. Soirée

GEORGE DANDIN
ou le Mari Confondu
Comédie en TROIS actes, en prose, de MOLIÈRE

Les Fâcheux
Comédie-Ballet en TROIS actes, en vers, de MOLIÈRE
Musique de BEAUCHAMP et LULLI
Décor nouveau de M. BERTIN

LETTRE (LA FONTAINE)

LE MÉDECIN MALGRÉ LUI
Comédie en TROIS actes, en prose, de MOLIÈRE
Décor nouveau de M. BERTIN

DIMANCHE 29 JANVIER. Soirée

AMPHITRYON
Comédie en TROIS actes en prologue, en vers, de MOLIÈRE

Le Mariage Forcé
Comédie en TROIS actes, en prose, de MOLIÈRE
Musique de LULLI

Danses et Divertissements réglés par M. CHASLES - Costumes dessinés par M. BETOUT

Imp. Watelet, Paris — Société Fermière des Colonnes-Affiches. Bureau des Commandes, 33, rue du Château-d'Eau, Paris — Tél. Nord 45-90

Affiche de théâtre pour le tricentenaire de Molière à la Comédie-Française, 1922.

Bibliographie et filmographie

Quelques farces de Molière

Le Médecin volant, vers 1645.

▶ Pièce en un acte et en prose. Pour échapper à un mariage qui lui fait horreur, Lucile feint d'être malade. Grâce au valet Sganarelle déguisé en médecin, elle pourra épouser celui qu'elle aime : Valère.

La Jalousie du Barbouillé, vers 1653.

▶ Pièce en un acte et en prose. Le Barbouillé, mari jaloux, tend un piège à sa femme infidèle pour qu'elle ne puisse pas rentrer chez elle. Mais par un retournement de circonstances, c'est le Barbouillé qui se retrouve hors du foyer conjugal.

Sganarelle ou le Cocu imaginaire, 1660.

▶ Comédie en vers en un acte qui marque un retour de Molière vers la farce. Peinture de la jalousie : Célie et Lélie se croient infidèles l'un à l'autre. Le valet Sganarelle nourrit le registre comique de la pièce.

L'Amour médecin, 1665.

▶ Pièce en trois actes et en prose. Refonte du *Médecin volant*. Mise en musique de Lully.

Le Mariage forcé, 1664 puis 1668.

▶ Pièce en un acte et en prose. Le vieux Sganarelle veut épouser la jeune Dorimène. Assailli par le doute, il décide de rompre, mais le frère de la jeune fille l'oblige à respecter ses engagements.

Sur Molière

Molière, de Sylvie Dodeller, École des Loisirs, collection « Belles vies », 2005.

▶ Biographie très accessible qui permet de connaître la vie de Molière.

La Jeunesse de Molière, de Pierre Lepère, Gallimard, collection « Folio Junior », 2003.

▶ Biographie romancée qui raconte l'enfance et la jeunesse de Molière, jusqu'à son départ pour la province.

Molière, film d'Ariane Mnouchkine, 1978, DVD Éditions Bel Air, 2004.

▶ Immersion dans l'époque de Molière à travers le récit de sa vie.

Bibliographie et filmographie

Molière, film de Laurent Tirard, 2007, avec Romain Duris dans le rôle de Molière et Fabrice Lucchini dans le rôle de Monsieur Jourdain.
▶ Fiction romanesque inventive et impétueuse qui s'écarte des données biographiques mais contient de nombreuses références aux œuvres de Molière.

Sur la société et le théâtre au XVIIe siècle

La Vie quotidienne des comédiens au temps de Molière,
de Georges Mongrédien, Hachette, collection « La Vie quotidienne », 1966.
▶ Présente le quotidien des acteurs de théâtre à l'époque de Molière.

La Vie quotidienne au temps de Louis XIV, de François Bluche, Hachette, collection « La Vie quotidienne », 1980.
▶ Présente les différents aspects de la société du XVIIe siècle.

Louison et monsieur Molière, roman de Marie-Christine Helgerson, Flammarion, Collection « Castor poche », 2001.
▶ Fiction qui raconte l'histoire de Louison, fillette du XVIIe siècle dont les parents sont acteurs. Elle rencontre Molière qui lui fait découvrir le monde fascinant du théâtre.

Le Théâtre à travers les âges, de Magali Wiéner, Flammarion, collection « Castor doc », 2003.
▶ Livre illustré qui présente une histoire du théâtre, définit les différents genres et évoque la vie des acteurs.

Quelques mises en scène

Les Précieuses ridicules, mise en scène de Francis Perrin, Grand Trianon de Versailles, 1996.
▶ Cette mise en scène insiste sur le caractère bouffon de la farce en forçant les traits avec un Mascarille et un Jodelet outrageusement déguisés.

Les Précieuses ridicules, mise en scène de Jean-Luc Boutté, Comédie-Française, 1993.
▶ Propose un décor stylisé et des costumes époustouflants.

Les Précieuses ridicules, mise en scène de Jérôme Deschamps et Macha Makeieff, Théâtre de l'Odéon, 1997.
▶ Appuie les traits de la farce jusqu'à la caricature.

Crédits photographiques

Direction de la collection : Carine GIRAC-MARINIER

Direction éditoriale : Jacques FLORENT

Édition : Clémence CORNU

Lecture-correction : service Lecture-correction LAROUSSE

Recherche iconographique : Agnès CALVO

Direction artistique : Uli MEINDL

Couverture et maquette intérieure : Serge CORTESI, Sylvie SÉNÉCHAL, Uli MEINDL

Responsable de fabrication : Marlène DELBEKEN

Photocomposition : CGI
Impression : Rotolito Lombarda (Italie)
Dépôt légal : Janvier 2008 – 301483/06
N° Projet : 11026120 – Septembre 2013